COLLECTION DIRIGÉE PAR
**CHRISTIANE DUCHESNE**

6 CM

Dépôt légal :
2e trimestre 1996
Bibliothèque nationale du Québec
Bibliothèque nationale du Canada

Révision linguistique : Diane Martin - Michèle Marineau
Conception graphique : Caroline Fortin
Montage : Yanik Préfontaine
Illustrations : © Québec/Amérique International
Logo Kid/Quid : Raphaël Daudelin
Fabrication : Tony O'Riley

Diffusion : Éditions françaises,
1411, rue Ampère, Boucherville (Québec) J4B 5Z5
(514) 641-0514 • 1-800-361-9635 - région extérieure
(514) 641-4893 - fax

**Données de catalogage avant publication (Canada)**
Duchesne, Christiane, 1949-
    Cyrus, l'encyclopédie qui raconte
    (Kid/Quid? ; 8)
    Comprend des index.
    L'ouvrage complet comprendra 12 v.
    Pour les jeunes.
    ISBN  2-89037-697-4 (série) -  ISBN  2-89037-802-0 (v. 8)
    1. Encyclopédies et dictionnaires pour enfants.
I. Marois, Carmen, 1951-     .  II. Titre.  III. Collection.
AF25.D82 1995            j034' .1            C95-940949-1

Christiane Duchesne   Carmen Marois

# 8
# *Cyrus*
## *l'encyclopédie qui raconte*

# Québec/Amérique

1380 A, rue de Coulomb, Boucherville (Québec) J4B 7J4
Tél. : (514) 655-6084 • fax : (514) 655-5166

À Catherine et à Marie,
les deux *sages* femmes qui m'ont aidée
à venir au monde.

C. M.

# Avant-propos

*Quand elle ouvre les yeux, ils lui donnent un arbre*
*Et son monde branchu, ils lui donnent le large*
*Et son content de ciel,*
*Puis elle se rendort pour emporter le tout.*

Jules Supervielle
*L'enfant née depuis peu*

Les enfants posent des questions de toutes les espèces et c'est tant mieux. Sinon, comment comprendraient-ils le monde? Mon père avait comme principe de ne jamais répondre «Je ne sais pas» à une question que nous lui posions quand nous étions petits. J'ai fait la même chose. J'ai cherché des réponses toute ma vie et je m'aperçois aujourd'hui que ce fut toujours un plaisir. Des milliers de questions pour expliquer l'histoire des choses, la vie de la planète, les angoisses de l'homme, la vie animale, l'univers végétal, le cosmos et le cœur des gens. Je vous laisse trois cent soixante histoires, à relire souvent, non seulement pour apprendre la réponse à des questions surprenantes, mais surtout pour connaître ce que les autres ont voulu savoir.

P.S. : La seule question à laquelle je n'arrive jamais à répondre exactement de la même façon est «Qui suis-je?», et ce n'est pas plus mal puisque tous les jours créent des différences.

*Cyrus*

# Légende

La Terre et l'espace, phénomènes et inventions

Les animaux, leurs habitudes et leurs particularités

Les végétaux, arbres, fleurs et tout ce qui pousse

Les gens, leur corps et leur vie

Curieuses questions

# Comment les pigeons voyageurs font-ils pour retrouver leur chemin?

En sortant de chez elle, Amandine tombe nez à nez avec Cyrus, qu'elle n'a pas vu depuis des mois.

— Cyrus! Il y a si longtemps... Depuis que vous avez quitté la petite maison voisine des tours de verre, vous m'avez tellement manqué!

— C'est là que j'allais, justement...

— À la petite maison?

— Elle est toujours à moi! Je l'ai louée au frère de mère Marie-Madeleine. Tu te souviens d'elle?

— Vous allez me donner votre adresse, Cyrus? Je ne sais plus à qui poser des questions depuis que vous avez quitté la ville...

— Bien sûr, Amandine. Et tu viendras me visiter. C'est à quinze minutes par le train.

— J'ai pensé à vous, hier, dit Amandine. Je me demandais comment les pigeons voyageurs font pour retrouver leur chemin.

— Je vais te l'expliquer tout de suite.

Tu m'accompagnes?

Amandine prend le bras de Cyrus.

— Les oiseaux ont un fabuleux sens de l'orientation, beaucoup plus développé que chez l'humain. On parle d'un sixième sens, dont on connaît cependant bien peu de choses.

— Un sixième sens!

— Le pigeon possède une excellente vision et, comme les autres oiseaux, il est sensible aux champs magnétiques terrestres. C'est fabuleux, Amandine! Les pigeons peuvent donc aisément retrouver leurs points de repère. Mais tous les pigeons ne sont pas voyageurs. Il faut les entraîner.

— Comment s'y prend-on?

— On commence par leur faire couvrir de courtes distances. On les emmène hors de leur pigeonnier, mais pas très loin. Ils s'orientent par rapport au Soleil, observent bien les paysages environnants et se fixent des points de repère.

— Et ils reviennent à la maison?

— Oui. Deux fois par jour, on les éloigne du pigeonnier et on les laisse revenir. Petit à petit, on augmente la distance qui les sépare du pigeonnier.

— Ils apprennent vite?

— Plutôt, oui, mais c'est tout de même un long entraînement! Les bons voyageurs peuvent couvrir de très grandes distances. Certains ont même effectué le trajet Londres-Boston!

— Ils ont traversé l'Atlantique!

— C'est extraordinaire, dit Cyrus. Ce qui l'est encore plus, c'est que les pigeons ont été domestiqués dès la préhistoire.

— Des pigeons préhistoriques!

— Il y a cinq mille ans, les Égyptiens les utilisaient déjà comme voyageurs.

— Et aujourd'hui?

— Nous les utilisons moins, puisque nous avons des moyens de communication extrêmement raffinés. Mais les pigeons ont très longtemps servi de courriers durant les guerres. Aujourd'hui, on se contente de leur faire établir des records de vitesse et de distance. Les colombophiles s'en servent pour leur plaisir, tout simplement.

Cyrus retrouve avec contentement la petite maison

coincée entre les tours de verre.

— Quand on pense qu'avant c'était la seule maison de la rue, soupire-t-il.

On a observé chez le goglu la présence de «magnétite» dans les couches de tissus qui enveloppent le nerf et le bulbe olfactifs, entre les deux yeux.

# Qu'est-ce qu'un quasar?

— Les ravisseurs libéreront leurs trois otages en échange de deux des leurs, détenus dans nos prisons, annonce Cyrus.

— J'ai peur, oncle Cyrus! Pourquoi y a-t-il tant de guerres et de violence dans le monde?

— Parce que les gens sont malheureux! Ils transportent leur peine chez le voisin, comme si cela faisait moins mal.

— Vous avez reçu beaucoup de courrier encore ce matin...

— Il me semble qu'il devient de jour en jour plus volumineux. Tiens, une question sur les quasars et les pulsars.

— Que répondrez-vous?

— Qu'avant 1960, ces deux mots n'existaient pas encore parce que les objets auxquels ils se rapportent nous étaient inconnus.

— Pardon?

— Quasar est l'abréviation de l'expression *quasi stellar astronomical radio-source*. C'est l'Américain Allan Sandage qui, le premier, en découvrit un. Ce sont des objets célestes qui ressemblent à des étoiles.

— Ils brillent?

— Si on tient compte de leur éloignement, ils se trouvent à plus de dix milliards d'années-lumière, leur luminosité est exceptionnelle. Mais le plus caractéristique, c'est qu'ils sont la source d'intenses rayonnements radio. Surtout dans les plages de l'infrarouge, de l'ultraviolet et dans le domaine des rayons X.

— Que sont donc les quasars?

— Peut-être la partie visible, parce qu'elle est très lumineuse, d'un noyau de galaxie active et très lointaine. Une autre caractéristique des quasars, c'est leur formidable densité.

— C'est-à-dire?

— Imagine la puissance de plusieurs milliers de galaxies semblables à la nôtre concentrée dans un volume dont le diamètre serait cent mille fois plus petit que celui de notre galaxie.

— J'ai du mal à imaginer ça, avoue Tibérius.

— Disons que c'est du concentré d'énergie. La puissance de notre Soleil dans une pièce de monnaie!

— Et les pulsars?

— Ces *pulsating stars*, ou étoiles vibrantes, sont aussi des radiosources. Mais, à la différence des quasars, les pulsars émettent avec une régularité et une précision exceptionnelles. À faire pâlir d'envie toutes les horloges astronomiques.

— Ah...

— Les pulsars clignotent dans le ciel comme des phares dans la nuit. Ce sont des étoiles entièrement constituées de neutrons, qui tournent sur elles-mêmes.

— En émettant de la lumière?

— Oui. Les pulsars se caractérisent par l'émission de rayonnements brefs, à une cadence extrêmement régulière.

— Comme un phare...

— Voilà! Les pulsars seraient des étoiles comme notre Soleil, mais en fin d'évolution.

— Y a-t-il beaucoup de pulsars dans l'Univers? demande Tibérius.

— À l'heure actuelle, on en connaît environ quatre cents. La majorité des pulsars ont été découverts grâce au rayonnement X qu'ils émettent.

— Tout cela est bien étrange et difficile à concevoir,

soupire le garçon en se levant.

— Comme le disait Voltaire : «La matière a probablement mille autres qualités que nous ne connaissons pas», conclut Cyrus.

1960 - Découverte du premier quasar par l'Américain Allan Rex Sandage.

1967 - Découverte des pulsars par les Britanniques Antony Hewish et Jocelyn Bell.

# Pourquoi, quand on se chatouille soi-même, ça ne chatouille pas?

Le petit Ambroise, le meilleur ami du petit Léon, marche d'un pas décidé vers la bibliothèque.

— Et si je ne trouve pas la réponse, j'aurai l'air de quoi? lance-t-il à voix haute en donnant un vigoureux coup de pied dans une châtaigne.

— Tu auras l'air de quoi, je voudrais bien le savoir! dit Cyrus dans son dos.

Le petit Ambroise laisse échapper un cri.

— Cyrus! fait-il, fâché. Vous savez bien que j'ai peur de tout!

— Quelle est cette réponse que tu dois trouver? demande Cyrus.

— Je suis chatouilleux, Cyrus, explique Ambroise. On me touche, et je roule par terre en me tortillant comme un ver. Or, quand je me chatouille moi-même, rien ne se produit. J'ai donc décidé de faire une démonstration devant mes amis. Je me chatouillerai sans broncher pour leur prouver que, même si on est très chatouilleux, il y a des moments où on résiste.

— C'est très clair, dit Cyrus.

— Mais je veux savoir pourquoi c'est ainsi! Mes amis vont vouloir des explications.

— Tous les humains n'ont pas la même sensibilité. Certains sont plus chatouilleux que d'autres, certains sont plus nerveux, certains sont plus craintifs.

— Moi, je fais partie des plus nerveux et des plus craintifs, précise le petit Ambroise.

— Si quelqu'un te prend par surprise et te chatouille, tu réagis fortement parce que tu ne t'y attendais pas. Si tu sais qu'on va te chatouiller, tu as une réaction de crainte parce que tu connais ce qui s'en vient et que tu ne veux pas que cela t'arrive.

— Quand je me fais chatouiller, je ris d'abord, puis je crie, puis je hurle et, si les autres n'arrêtent pas, je pleure.

— Quand tu te chatouilles toi-même, tu n'as pas peur puisque c'est toi qui contrôles la situation. Tu sais que tu ne te chatouilleras pas trop fort. Ton cerveau est là pour veiller à tout.

— Ce qui est extraordinaire, c'est que je suis capable de me chatouiller la plante des pieds avec une plume et que je ne me bronche même pas.

— Tu vas faire une démonstration d'enfer!

— J'ai même un maillot de Tarzan! Vous allez voir, Cyrus, ce sera super!

— Ce qui sera bien, c'est que tu pourras expliquer comment le même chatouillement produit des effets différents selon qu'il vient de toi-même ou d'une autre personne.

— Je dirai : nous avons un cerveau qui nous protège. Il est capable de contrôler nos gestes. Notre cerveau dit à notre main de ne pas chatouiller trop fort, de ne pas chatouiller trop longtemps. Notre cerveau dit aussi à notre corps de ne pas avoir trop peur puisque le chatouilleur est le même que le chatouillé. Notre cerveau sait ce qui est bien pour nous.

— C'est comme ça qu'il nous empêche de nous blesser, ajoute Cyrus.

— Je finirai ma démonstration en disant : je voudrais que le cerveau des autres leur commande de ne pas chatouiller le petit Ambroise.

Le neurone, élément de base du tissu nerveux, est une cellule spécialisée dans la communication. C'est le neurone qui traite les informations et qui les achemine au cerveau.

# *Pourquoi les chats ont-ils des moustaches?*

Cyrus trouve son neveu Tibérius assis dans un trou de la haie. Le garçon est triste et songeur. Pourquoi a-t-on enlevé son père à lui?

— Tu fais comme Sashimi, lance le savant. Tu t'installes à l'abri de la haie.

Le garçon lève la tête et sourit faiblement. Il roule nerveusement quelque chose de long et mince entre ses doigts.

— Qu'est-ce que c'est? demande Cyrus.

— Une moustache de chat, répond Tibérius. Elle est toute noire. Probablement à Sashimi.

— Tu as raison, reconnaît Cyrus. C'est une vibrisse, tombée du museau de ce squatter félin.

— Vibrisse?

— C'est le mot qui désigne les poils tactiles

de certains mammifères tels que le chat.

— Vibrisse, répète Tibérius afin de mieux se souvenir. Pourquoi les chats en ont-ils? À quoi servent-elles?

— Une question à la fois! s'exclame l'érudit.

Il s'assied confortablement devant la haie de troènes, face à son neveu.

— Tout d'abord, tu dois savoir que les chats se servent de leurs moustaches pour prendre des mesures.

— Comme un mètre à ruban?

— Tout à fait. Tu sais comme les chats sont friands d'escapades nocturnes et diurnes. Ces petites équipées les con-duisent souvent dans des endroits incon-nus.

— Oui, approuve Tibérius. Ils aiment se faufiler à travers une haie, explorer un tuyau, s'infiltrer par le soupirail d'une cave.

— Tu as un bon sens de l'observation! Les moustaches du chat, tu l'as remarqué, sont placées sur son museau.

— De chaque côté du museau...

— Justement. Avant de s'engager dans une ouverture, l'animal, grâce à ses vi-brisses, en prend la mesure exacte.

— Si les moustaches passent, conclut le garçon, le reste pourra suivre, c'est cela, oncle Cyrus?

— Si les moustaches frôlent le bord de l'ouverture, le chat ne s'y engagera pas, de peur de rester coincé.

— Pratique! Lorsque je serai plus vieux, remarque Tibérius, je crois que je vais me laisser pousser une supermoustache!

— Comme tu n'es pas un félin, elle ne te sera, malheureusement, d'aucune utilité. Les moustaches des chats sont des poils, bien sûr. Comme tous les poils, ils poussent et finissent par tomber.

— Comme les cheveux?

— Oui. À la différence de ceux-ci et des poils humains, les vibrisses sont dotées de terminaisons nerveuses importantes, qui les rendent extrêmement sensibles à tout ce qu'elles touchent.

— Et puis, dit Tibérius en songeant à sa moustache, la mienne ne serait jamais aussi impressionnante que celle d'un chat.

— En effet, tu ne pourrais t'y fier pour savoir si tu peux ou non passer par une porte !

Nombreuses sont les anecdotes rappelant la prodigieuse faculté qu'ont les chats de toujours retrouver leur domicile.
Personne n'a encore réussi à percer ce mystère.
Il se pourrait toutefois que les vibrisses y soient pour beaucoup.

# Pourquoi, quand on va d'un côté de la mer, les vagues viennent à nous et que, quand on va de l'autre côté, elles viennent aussi à nous?

Cyrus a pris le temps de sauter dans le train pour aller marcher une heure au bord de la mer. Tous les soucis de la maison l'étouffent un peu. Le sort de mister Pagton l'inquiète. Tout à coup, il voit venir à lui une petite fille à longues tresses brunes, sautillant sur un pied puis sur l'autre.

— Bonjour, monsieur! fait-elle en passant près de Cyrus.

— Bonjour, mademoiselle, répond Cyrus en la saluant d'une courbette élégante. Vous vous promenez seule sur la plage?

— Non, monsieur. Mon frère ramasse des coquillages là-bas, sur la pointe.

— Les vagues sont fortes! Il est prudent?

— Il a dix-neuf ans, il est prudent et il est très fort. Savez-vous, monsieur, si, de l'autre côté de l'océan, les vagues sont semblables?

— Que veux-tu dire? demande Cyrus en laissant tomber le vouvoiement.

— Les vagues que nous voyons viennent à nous. Est-ce la même chose de l'autre côté de l'océan? Les vagues vont aussi vers les gens?

— Dis-moi ton nom, d'abord. Moi, c'est Cyrus. Et toi?

— Violette.

— Il ne faut pas croire, Violette, que l'océan se déplace comme un seul bloc. Ce n'est pas parce que les vagues viennent à nous de ce côté-ci de l'océan qu'elles se retirent de l'autre côté. L'océan ne se balance pas ainsi.

— Les vagues s'en vont des deux côtés?

— Elles s'en vont de tous les côtés. Ce sont les vents qui provoquent la formation des vagues. Le moindre souffle de vent fait frémir la surface d'un étang. Au beau milieu des océans, rien n'arrête le vent. Il peut prendre un élan formidable.

Donc, lorsque de forts vents se déclarent, d'énormes masses d'eau se soulèvent.

— Et toute cette eau-là s'en vient vers nous?

— Non. On croirait pourtant que l'eau se déplace. La vague, c'est comme une onde. C'est un mouvement dans l'eau. L'eau ne change pas de place.

— Mais...

— Si tu te laisses flotter, loin sur la mer, tu ne te déplaceras presque pas. Les vagues vont te faire monter et descendre, mais elles ne te feront pas vraiment avancer, sauf si le vent te pousse brusquement.

— Comme c'est curieux...

— Observe les mouettes et les goélands qui se laissent flotter : la vague passe sous eux mais ne les emporte pas.

— Donc l'eau est toujours au même endroit, dit Violette, songeuse.

— Oui. La vague que tu vois se briser sur la plage est un peu le dernier souffle de ce mouvement de l'eau.

— En fait, c'est comme un frisson, dit Violette. Quand j'ai un frisson, j'ai l'impression qu'il parcourt ma peau de haut en bas. Mais ma peau ne bouge pas!

— C'est une bonne comparaison, dit Cyrus.

— Alors, dit Violette, de l'autre côté de

la mer, il y a d'autres vents qui forment d'autres vagues...

— Et peut-être que, de l'autre côté, une petite fille à longues tresses brunes se pose la même question que toi!

Les phoques et les dauphins plongent sous l'eau à l'approche d'une vague pour éviter le choc qui se produit lorsque la vague se brise.

# Comment les dames qui portaient des crinolines faisaient-elles pour s'asseoir?

Assis près de la cheminée, Tibérius feuillette nochalamment d'anciennes revues de mode.

— Tu es là! lance Cyrus en faisant irruption dans la pièce.

— J'ai trouvé ces vieilles revues au grenier, répond Tibérius. Comment les femmes faisaient-elles pour s'asseoir, à l'époque des crinolines?

— Tu as de ces questions! D'abord, dis-moi : sais-tu à quelle époque sont apparues les crinolines?

— Au début du siècle?

— Bien avant. Les crinolines ont fait leur apparition en 1856.

— D'où vient ce drôle de nom?

— De l'italien *crinolino*, inventé à partir des mots *crino*, qui voulait dire crin, et *lino*, qui signifiait lin. Anciennement, donc, une étoffe de lin à trame de crin.

— Bizarre, souligne Tibérius.

— La crinoline à cerceaux, telle qu'elle est apparue en 1856, est faite d'un assemblage de baleines et de cercles d'acier flexibles. Elle a pour ancêtre le panier, apparu vers 1720.

— Un panier comment?

— Un corps de jupe baleiné. Il servait à la faire bouffer au niveau du postérieur.

— Quelle drôle d'idée! Ça ne servait à rien d'autre?

— Au XIX$^e$ siècle, un philosophe britannique du nom de Thomas Carlyle a dit que «la fonction première du vêtement n'était pas de protéger du froid ni de garantir une allure décente, mais de servir de parure».

— Et à la préhistoire, alors?

— Carlyle avait à la fois tort et raison. Tort parce que les êtres humains ont inventé les vêtements d'abord pour se protéger des rigueurs du climat. Raison parce que tous les vêtements ne sont pas utiles. Songe à la cravate.

— C'est vrai.

— Comme je viens de te l'expliquer, la crinoline à cerceaux était constituée de cercles d'acier flexibles.

— On pouvait donc l'ajuster?

— Oui. À l'époque des crinolines, on ne s'asseyait pas comme maintenant. Les gens prenaient place sur des sièges très droits, dans des poses amidonnées.

— Quand on regarde des peintures, admet Tibérius, c'est vrai qu'ils ont tous l'air d'avoir avalé leur sabre!

— Les femmes s'asseyaient donc sur le bout de leurs chaises, le dos très droit. Au moment de s'asseoir, elles déplaçaient les cercles vers l'arrière. Les quatre ou cinq cerceaux étaient concentriques et s'emboîtaient les uns dans les autres.

— Pas très pratique, tout de même! Pourquoi me cherchiez-vous, tonton?

— Je venais t'annoncer, dit fièrement Cyrus, que les services secrets ont réussi à repérer ton père et ses compagnons d'infortune!

Outre la crinoline à cerceaux, il y eut, en 1867, la crinoline Empire, qui épouse la forme d'un tronc de cône, et la crinoline de guerre, apparue en 1915. À cause de la guerre, les femmes durent travailler en usine et remplacer les hommes partis au front. Pour des raisons pratiques, les jupes raccourcirent et les crinolines aussi!

# Qu'est-ce que c'est, exactement, une année-lumière ?

Cyrus voudrait bien courir, mais Gratte-Bedaine tire sans cesse sur sa laisse, attiré par toutes les odeurs laissées ici et là par d'autres quadrupèdes de son espèce.

— Bonjour, monsieur ! fait une petite voix dans son dos.

— Violette ! dit Cyrus en se retournant.

— Je crois que nous sommes presque voisins ! dit la petite. J'ai reconnu votre gros chien. Je le vois dans votre jardin, de la fenêtre de ma chambre.

— Mais tu n'habites pas près de la mer, là où nous nous sommes rencontrés ?

— Plus maintenant. Vous connaissez la grande maison avec les magnolias devant ? C'est chez moi depuis hier ! Et comme vous êtes là, je voudrais vous poser une autre question...

— Suis-moi jusqu'à la maison. Je suis très pressé.

Violette s'accroche à la laisse de Gratte-Bedaine.

— Pouvez-vous me dire exactement ce qu'est une année-lumière?

— C'est une mesure de distance. Accélère, mon Gratton!

— Il s'appelle Gratton? fait Violette en riant.

— Il s'appelle Gratte-Bedaine. Gratton, c'est pour les intimes, précise Cyrus. Viens, mon chien. Donc, une année-lumière, c'est la distance que parcourt la lumière en un an.

— Attendez un peu... c'est compliqué.

— La lumière voyage très rapidement. Elle parcourt trois cent mille kilomètres en une seule seconde!

— Et trois cent mille kilomètres, c'est grand comment?

— Ouf! C'est à peu près cent fois la distance Montréal-Paris...

— Comme si je faisais cinquante fois l'aller-retour Montréal-Paris en une seule seconde?

— À peu de chose près!

— En une seule seconde! murmure Violette, extasiée. Cyrus, ce que vous me décrivez là, c'est la vitesse que parcourt la lumière en une seule, unique, petite et minuscule seconde. Mais une année-lumière?

— L'année-lumière, c'est la distance que tu pourrais parcourir en une année si tu voyageais à la vitesse de la lumière.

— Ce qui voudrait dire autant de fois trois cent mille kilomètres qu'il y a de secondes dans une année, c'est-à-dire...

— C'est-à-dire, fait Cyrus en prenant les devants afin d'éviter de trop durs calculs à la petite Violette, soixante fois soixante secondes dans une heure égale trois mille six cents secondes, fois vingt-quatre heures dans une journée égale quatre-vingt-six mille quatre cents secondes par jour, fois trois cent soixante-cinq jours égale trente et un millions cinq cent trente-six mille secondes dans une année...

— Arrêtez, monsieur Cyrus, c'est trop pour ma tête! dit Violette en riant.

— Et multiplie tout cela par trois cent mille kilomètres pour avoir la distance parcourue par la lumière en un an...

— Je préfère marcher avec vous à la petite vitesse de un ou deux kilomètres à l'heure...

— Nous voici à la maison!

— Pourquoi étiez-vous si pressé? demande Violette.

— Pour aller porter un cadeau sur l'oreiller de mon neveu Tibérius, qui a bien besoin de petits plaisirs ces jours-ci...

En termes de kilomètres, les calculs de Cyrus donnent le fabuleux nombre (approximatif) de 9 460 800 000 000 kilomètres franchis en une année à la vitesse de la lumière, que l'on traduit en mots par : neuf billions quatre cent soixante milliards huit cent millions de kilomètres.

# Pourquoi les ouaouarons ont-ils une troisième paupière ?

— Je trouve que mère Marie-Madeleine a des yeux de ouaouaron, remarque Tibérius en regardant partir la moniale.

Le garçon et son oncle ont gravi la colline qui surplombe la baie. Le savant observe la silhouette de la vieille bénédictine qui s'éloigne d'un pas sautillant.

— Ta remarque manque de justesse, dit-il enfin.

— Elle a de gros yeux sombres et protubérants, proteste Tibérius.

— Mais, contrairement aux ouaouarons, MM&M n'a pas de troisième paupière.

— Les ouaouarons ont une troisième paupière?

— Comme beaucoup d'animaux. On l'appelle paupière nictitante. Les chats en ont une également. Tu peux l'apercevoir quand l'animal est malade. C'est une membrane translucide et blanchâtre qui s'ouvre et se ferme à l'horizontale.

— À quoi sert cette troisième paupière? demande Tibérius.

— À protéger l'œil de la bête. Chez les oiseaux nocturnes, comme la chouette ou le hibou, elle protège l'œil des lumières trop vives.

— Et chez le ouaouaron?

— Elle lui sert en quelque sorte de masque de plongée!

— Elle permet au ouaouaron de mieux voir lorsqu'il plonge?

— Tout à fait.

— Sert-elle à autre chose?

— Le ouaouaron l'utilise pour se protéger contre tout ce qui pourrait blesser ses yeux : le sable, le vent, la poussière. C'est un réflexe.

— Vous dites que la paupière nictitante protège les yeux des oiseaux de nuit de la lumière trop vive, qu'elle permet aux ouaouarons de mieux voir dans l'eau. Mais les chats ont horreur de l'eau, ils n'y vont jamais; le jour, à moins qu'ils ne soient malades, on ne voit pas leur troisième paupière, elle ne sert donc pas à protéger leurs yeux de la lumière.

— Tu peux aussi la voir lorsque ton chat somnole durant le jour, les yeux à demi ouverts. La paupière nictitante fait alors office de filtre.

— Oncle Cyrus, demande Tibérius, d'où vient ce curieux mot de ouaouaron?

— De la langue iroquoise. Il est entré en usage dans notre langue vers 1632.

— Que signifiait-il?

— Grenouille verte, répond l'érudit. Ce mot n'existait pas dans la langue de nos ancêtres qui venaient de France. Tout simplement parce que, là-bas, il n'y a pas de ouaouarons.

— Ah non? s'étonne le gamin.

— Ces grenouilles géantes ne vivent qu'ici, en Amérique du Nord.

— C'est vrai que les ouaouarons sont énormes!

— Ils peuvent atteindre vingt centimètres de long! Dans leur genre, ce sont des monstres de la gent batracienne!

— Est-ce qu'on leur donne aussi un autre nom? demande Tibérius.

— On les appelle parfois grenouilles mugissantes ou grenouilles-taureaux, à cause de leur curieux coassement, qui rappelle un mugissement.

— Je préfère cent fois le nom de ouaouaron !

— Je te propose de suivre maintenant

les traces de MM&M et de rentrer à la maison, dit Cyrus. Peut-être de bonnes nouvelles nous y attendent-elles...

Plusieurs mots de notre vocabulaire ont été empruntés aux langues amérindiennes. Par exemple, outre ouaouaron, nous utilisons aussi ouananiche, emprunté à la langue montagnaise, et achigan, qui vient de l'algonquin.

# Où prend-on les noyaux pour faire pousser les bananes?

L'index gauche enduit d'une pâte gluante, Daphnée doit se servir de son index droit pour sonner chez Cyrus, même si elle est gauchère.

— Qu'y a-t-il pour votre plaisir, madame? demande le savant avec un sourire.

— Me prêteriez-vous quelques centimètres carrés de votre jardin?

— Et pourquoi donc?

— Pour faire pousser les noyaux que voici! déclare Daphnée sans rire.

— Les quoi? dit Cyrus en pouffant.

— Les noyaux de bananes qui sont là, sur mon doigt.

— Tu veux faire pousser des bananes! s'exclame le savant, découragé. Je n'ai pas envie d'un bananier dans mon jardin. Et puis, nous ne sommes pas à la bonne latitude...

— La quoi?

— Oh! Laisse tomber, Daphnée. Je suis terriblement fatigué et je ne laisserai pas pousser de bananier dans mon jardin. Et puis, ce ne sont pas des noyaux que tu as là, dans ta purée dégoûtante!

— Mais oui! insiste-t-elle. Ce sont les petits points noirs qu'il y a au centre des bananes. Ce sont des graines?

— Assieds-toi un instant, que je t'explique. Mais en vitesse! Tibérius m'attend pour le cinéma. Ce ne sont plus de vraies graines, les points noirs des bananes. Ce sont des ovules avortés.

— Une fausse-couche de banane?

— Même pas! Ils n'ont jamais été fécondés et ils ne le seront jamais. Une graine, c'est l'ovule d'une plante qui a été fécondée. Dans le cas des bananes, c'est terminé.

— Je ne vous crois pas!

— Certaines sortes de bananiers produisent encore des graines, mais dans le cas des bananiers qui donnent les bananes du commerce, celles que tu achètes chez le marchand de fruits, on ne s'occupe plus de fécondation.

— Qu'est-ce que c'est que cette histoire?

— Plutôt que d'attendre que la fécondation se fasse d'une fleur mâle à une fleur femelle, on prend un rejet et on le plante.

— Un quoi?

— Un rejet. Comme un rejeton. C'est un mini-bananier qui pousse sur le tronc du plant mère et qui fait même des racines. On le transplante donc et cela donne un nouveau bananier.

— C'est plus rapide. Comme s'il poussait un bébé sur le front de ma mère et qu'on s'en occupait sur place au lieu d'attendre que mon père féconde ma mère, qu'elle porte le bébé pendant neuf mois et...

— Quelle image! On utilise cette méthode de transplantation depuis des centaines d'années pour la reproduction des bananes. La fécondation ne se fait donc plus, comme si le bananier avait oublié le mode d'emploi.

— C'est pour ça que les petites graines sont des ovules avortés? demande Daphnée.

— Comme les raisins sans pépins...

— Vous êtes vraiment fatigué, Cyrus. D'habitude, vous donnez plus de détails.

— Je crois que tu en as assez, aujourd'hui, pour ne plus penser à faire pousser des bananiers ici et là. Oui, je suis très fatigué, ma Daphnée.

— Alors, je vous laisse, dit gentiment la petite en léchant son doigt poisseux. Mes amitiés à Tibérius, à Gratton et à votre Alice.

Le bananier n'est pas un arbre. Il fait partie des plantes herbacées, même s'il atteint aisément 10 m de hauteur.

# Comment peut-on apprendre des tours à un rat?

— Tibérius? Mon ami, l'imam Abd el-Kader, vient de téléphoner. Il a appris les nouvelles et nous invite à le rejoindre, chez lui, en Algérie. Fais ta valise, nous partons.

— Et Gratte-Bedaine?

— Il ira au couvent. Mère Marie-Madeleine l'adore.

— Un chien au couvent!

— N'oublie pas, mon garçon, que les ancêtres de Gratte-Bedaine viennent de l'hospice du Grand-Saint-Bernard, dans les Alpes. Le couvent des bénédictines lui rappellera ses origines.

— Et Alice?

— Prosper Branchu s'en occupe. Il aime passionnément les chats. Exécution!

— Auparavant, j'ai une question de la part de Nicéphore.

— Que veut-il savoir?

— Comment on apprend des tours à un rat.

— Ça pourrait attendre!

— C'est-à-dire que..., bredouille Tibérius en se dandinant. Je lui ai promis une réponse avant le souper. Il vient d'adopter un rat. Sa mère a enfin accepté.

— Bon, soupire Cyrus en s'asseyant. Qui dit dressage dit aussi patience. Car il faut beaucoup de patience.

— Nicéphore en a. Ça fait trois fois qu'il reprend son année...

— On dresse les animaux en les conditionnant.

— Pouvez-vous être plus clair?

— Un conditionnement s'effectue essentiellement par deux moyens : la punition et la récompense. Le mieux étant bien sûr la récompense. Il est inutile de maltraiter les animaux.

— Je suis d'accord. Nicéphore n'acceptera jamais de faire du mal à son cher rat.

— Dans certaines expériences, on a conditionné des rats à sortir d'une cage quand un signal clignotant rouge s'allumait.

— Ils reconnaissaient la couleur?

— Oui, car quelques secondes après l'allumage du signal, un léger courant électrique passait à travers le plancher de la cage. Les animaux ont vite appris à sortir dès que le voyant devenait lumineux.

— Jamais je ne raconterai de telles horreurs à Nicéphore.

— Si ton ami veut apprendre des tours à son rat, conseille-lui d'adopter la méthode douce, celle de la récompense. S'il veut lui apprendre à sauter par-dessus une petite clôture, il peut en placer une dans sa cage. La clôture séparera la cage en deux et sera suffisamment large pour que l'animal ne puisse la contourner.

— Et alors?

— D'un côté de la clôture, Nicéphore installe son rat, de l'autre une boulette de nourriture.

— Si le rat veut obtenir sa friandise, il sautera!

— L'obtention de nourriture est la plus grande motivation chez un animal. S'il est mis tous les jours face à la même situation, le rat apprend. Il apprend à sauter, à actionner des manettes, à parcourir un labyrinthe, à monter sur un tabouret, à renverser un dé à coudre, à pousser une petite voiture. En fait, tout ce qu'on voudra bien lui apprendre.

— J'appelle Nicéphore!

— Et tu montes faire ta valise!

C'est le savant russe Ivan Pavlov (1849-1936) qui, le premier, étudia le conditionnement animal. Il travailla avec un chien à qui il présentait de la nourriture. Assis devant lui, l'animal salivait. Plus tard, Pavlov fit sonner une cloche quelques secondes avant de présenter au chien sa gamelle. Très vite, le «chien de Pavlov» saliva rien qu'au son de la cloche.

# Comment se fait-il qu'on entende la mer dans un coquillage ?

Tibérius s'est endormi après trois heures de vol. Dans l'avion qui les emmène chez l'imam Abd el-Kader, Cyrus se dit que sa décision était la bonne. Leur séjour chez l'imam leur fera le plus grand bien. De plus, ce grand ami de Cyrus pourrait avoir une bonne influence dans le dénouement de l'enlèvement de mister Pagton.

À côté de Cyrus, les yeux rivés au hublot, une petite fille regarde la mer tout en bas.

— Tu voyages toute seule ? demande Cyrus.

— Oui, répond-elle en riant. Et j'adore voyager toute seule. Vous avez vu comment les hôtesses s'occupent de moi ? Chaque fois, c'est un voyage de princesse... Je vais retrouver mon père. Ma mère viendra nous rejoindre pour les vacances. Je fais le voyage trois fois par année.

— Tu vois des bateaux, en bas ? demande encore Cyrus.

— Non. Mais j'imagine toutes sortes de choses. Je fixe l'océan et je fais apparaître des châteaux marins, des sirènes et des tritons, des coquillages géants dans lesquels on pourrait se perdre.

Cyrus écoute parler la petite en pensant qu'elle ne s'arrêtera plus.

— Vous aimez les coquillages? Moi, chez mon père, j'en ai une énorme collection. J'en ai de très gros et je les colle sur mes deux oreilles pour entendre la mer encore plus fort.

— C'est bien la mer que tu entends?

— Je sais bien que ce n'est pas la mer, dit-elle avec un sourire entendu. Qu'est-ce que c'est, au juste?

— Tu sais comment sont faits ces gros coquillages, dit Cyrus. Ils se développent en spirale, comme s'ils s'enroulaient sur eux-mêmes. Leur intérieur est donc une sorte de chemin qui tourne et qui tourne jusqu'à devenir tout étroit.

— Je sais cela, dit la petite.

— L'air circule dans le coquillage.

— Il se promène partout à l'intérieur?

— Mais oui. Et, en circulant dans le coquillage, le son de l'air est amplifié par le coquillage lui-même.

— Attendez un peu, qu'est-ce que c'est le son de l'air?

— C'est un peu comme le vent! dit Cyrus. En se déplaçant, l'air produit un son. Le coquillage sert de caisse de résonance.

— Comme un violon, comme une guitare, comme une contrebasse?

— Exactement. Le son prend de l'ampleur dans ton coquillage. D'ailleurs, plus ton coquillage est gros, plus la caisse de résonance est importante, et plus le son que tu entendras sera fort.

— S'il y avait un trou à l'autre bout du coquillage, le son s'enfuirait et ne grossirait pas dans la coquille, c'est ça?

— Tu as parfaitement raison. Le fait qu'il y ait une entrée et pas de sortie permet au son de se promener dans la coquille et d'en ressortir amplifié.

— C'est gentil de m'expliquer tout ça... Vous savez aussi pourquoi les cristaux de neige ont des formes différentes?

— Je pourrais te l'expliquer, mais j'ai besoin de dormir un peu avant l'arrivée.

Tu permets?

Cyrus se retourne et ferme les yeux, sinon il passerait les trois prochaines heures à répondre à des questions...

Si on dit entendre la mer dans les coquillages, en particulier dans les conques, c'est que le son de l'air amplifié ressemble étrangement à celui du vent et des vagues qui se brisent sur la plage. On dit qu'on entend la mer, mais on pourrait tout autant parler du vent...

# Pourquoi les pirates ont-ils toujours un œil bouché?

— Pourquoi écrases-tu cette malheureuse fourmi, Tibérius? lui demande son oncle, assis par terre à l'ombre de la mosquée.

— Hein?

— La fourmi, pourquoi l'avoir écrasée? Elle ne faisait que passer.

— Euh..., bredouille Tibérius. Je ne m'en suis même pas aperçu. Je songeais à autre chose.

— À ton père?

— Oui.

— Tu es malheureux, c'est normal. Ce qui l'est moins, c'est de passer ta colère sur un autre être vivant, qui n'est responsable en rien de ton malheur.

— Ce n'était qu'une fourmi...

— Si tu sais respecter une fourmi, tu respecteras les humains.

Tibérius se tait. Son oncle lui propose une visite au souk.

— Regardez cet homme! souffle Tibérius à l'oreille de son oncle. On dirait un pirate!

— Pourquoi dis-tu cela? À cause du

bandeau noir sur son œil?

— Oui, et il a l'air farouche. Les pirates ont toujours un œil caché. Pourquoi, oncle Cyrus?

— Tout d'abord, il serait temps que tu commences à penser autrement qu'en préjugés et lieux communs. Un esprit libre est avant tout un esprit ouvert.

— Pardon?

— Les pirates n'ont pas tous porté un bandeau sur l'œil. Cet homme que nous avons croisé, il t'a fait peur?

— Oui, admet le garçon.

— C'est pourquoi tu as tout de suite songé à un pirate. Écoute-moi, Tibérius. Les pirates se battaient plus que la moyenne des gens. Ils y laissaient souvent un œil, un bras, une jambe. Ou leur vie! Blessés, mais guéris, ils avaient souvent une allure impressionnante. Cet homme que tu as vu t'a fait peur parce que tu l'as associé aux pirates. Le bandeau sur l'œil rend le personnage plus effrayant. Comme la cicatrice qui barre la joue, le crochet à la place de la main ou la jambe de bois qui fait cloc, cloc.

— C'étaient d'affreux individus!

— Les pirates existent toujours.

— On parle plus souvent de piraterie aérienne...

— C'est vrai. Elle n'est que l'extension moderne de la piraterie maritime. Les pirates sont des bandits sans foi ni loi qui n'hésitent pas à tuer leurs semblables pour s'emparer de leurs biens.

— Ils enlevaient aussi des gens pour en faire des esclaves, non?

— Oui. Et le plus souvent pour les revendre. Peux-tu me donner un ou deux synonymes du mot pirate?

— Euh... Flibustier, corsaire...

— ... écumeur, boucanier, forban, complète le savant. Les flibustiers et les boucaniers sévissaient dans les eaux d'Amérique du Sud et des Antilles. Quant aux corsaires, ils agissaient sur l'ordre d'un monarque.

— Vous voulez dire que c'étaient des pirates officiels?

— Oui. Leurs activités n'étaient que de la piraterie légalisée. Le corsaire armait son navire et prêtait allégeance à un roi. Le XVII$^e$ siècle a été le siècle d'or de la piraterie.

— Ça alors!

— Un corsaire prêtait, disons, allégeance

au roi d'Angleterre. Avec la bénédiction de ce dernier, il allait piller les galions espagnols. Les profits étaient répartis moitié-moitié.

— Belle mentalité! conclut Tibérius.

Quelques corsaires célèbres : Jean Bart, un marin français qui se mit d'abord au service de la Hollande, puis à celui du roi Louis XIV, qui l'anoblit en 1697. Robert Surcouf, autre navigateur français, né à Saint-Malo en 1773, sillonna comme corsaire l'océan Indien. Lui aussi fut anobli et devint l'un des plus riches armateurs de Saint-Malo.

# Que mange un ornithorynque?

Dans les jardins de l'imam, les palmiers sont plantés comme les colonnes d'un temple grec. Leurs palmes étendent une ombre douce sur les hibiscus et les bougainvilliers en fleurs. Un verre bordé d'or à la main, l'imam soupire de bonheur.

— Votre thé sera toujours le meilleur, dit Cyrus.

— Mon cher Cyrus, il était temps que vous veniez passer quelques jours chez moi!

— J'y passerais des semaines, ajoute Tibérius en caressant le singe capucin préféré de leur hôte.

— Cyrus, dit l'imam Abd el-Kader, c'est un tel plaisir de vous avoir ici! Vous parlez de tout, vous regardez tout, vous mangez de tout, vous écoutez tout! Quel curieux homme vous êtes!

— C'est l'ornithorynque de la race humaine! dit Tibérius en riant. Mon oncle est un heureux mélange de tout ce qui existe.

— Artiste, savant, chercheur, cuisinier de classe, musicien et écrivain!

— Cessez donc, mon cher! fait Cyrus en rougissant jusqu'au sommet du crâne.

— Notre grand Tibérius parlait d'ornithorynque! La comparaison est judicieuse. J'en profiterai pour vous demander quelque chose à propos de cet étrange animal, car j'aimerais en élever ici.

«Rien ne l'arrête», se dit Cyrus.

— Que mange-t-il? poursuit l'imam.

— L'ornithorynque se nourrit de larves, de crabes et de poissons.

— À part les larves, je suivrais le même régime, dit Tibérius, qui a retrouvé son humour.

— Précisément, je vous dirai, mon cher imam, qu'un ornithorynque en captivité mange cinq cent quarante vers de terre, une trentaine de crustacés, deux cents vers de farine, deux grenouilles et deux œufs.

— Par jour? demande Tibérius.

— Par jour, et c'est le régime d'un individu pesant environ un kilo et demi. Ce menu te va, mon cher neveu?

Tibérius éclate de rire, au grand bonheur de Cyrus.

— Cet animal est fascinant, poursuit Cyrus. Les premiers voyageurs qui rapportèrent d'Australie des ornithorynques défunts furent accusés de supercherie. Personne ne voulait croire qu'un tel animal existait : mammifère pondant des œufs et allaitant ses petits, affublé d'un bec de canard, de pattes palmées et d'une queue de castor, couvert de fourrure et vivant dans un terrier près d'un plan d'eau!

— Il semble, dit l'imam, qu'il soit, avec l'échidné, le seul mammifère pondeur.

— C'est un fait, approuve le savant. Donc, vous songez à élever des ornithorynques?

— Pourquoi pas? J'aime tout ce qui ne

ressemble à rien..., dit l'imam.

— Voilà pourquoi vous êtes le grand ami de mon oncle, réplique calmement Tibérius.

L'ornithorynque sécrète un venin dangereux, qu'il injecte en griffant son adversaire. Ce venin provient d'ergots placés sur les pattes postérieures des représentants mâles de la race.

# Est-ce que l'Atlantide a déjà existé?

Cyrus et son neveu se promènent de nouveau à travers les dédales du souk. Tibérius ouvre grands les yeux et les narines. Des odeurs nouvelles l'assaillent, celles de la fleur d'oranger, de la cannelle et du cumin noir.

— Vous parliez de l'Atlantide, oncle Cyrus. A-t-elle vraiment existé?

— Je crois que l'Atlantide n'est qu'une utopie, répond le savant.

— Qu'est-ce qu'une utopie?

— Un lieu qui n'existe pas. C'est l'humaniste anglais Thomas More qui a forgé ce mot à partir des racines grecques *ou-* «non» et *topos* «lieu» : en aucun lieu. Par extension, on applique le mot utopie à quelque chose d'irréalisable.

— L'Atlantide n'a jamais existé?

— Il y a des personnes dont les cheveux se dresseraient d'indignation si elles nous entendaient!

— Pourquoi?

— Parce qu'elles y croient !

— Pas vous?

— C'est le philosophe grec Platon qui,

au IVe siècle avant Jésus-Christ, a le premier décrit l'Atlantide. Son œuvre foisonne de détails précis. Elle fourmille de descriptions sur l'architecture, la technologie et les rituels atlantes. On croirait y être!

— Comment la décrivait-il?

— Comme une terre de plaines fécondes et d'immenses forêts. Il y poussait une flore luxuriante. La faune y était abondante et variée. De grands troupeaux d'éléphants la parcouraient. Le sous-sol recelait de riches filons d'or, d'argent et beaucoup d'autres métaux précieux. Platon parle d'un métal mystérieux, l'orichalque, une sorte de cuivre qui «étincelait comme du feu».

— Platon aurait tout inventé?

— Tu n'as qu'à songer à *Dune,* l'œuvre immense d'un de nos contemporains, l'Américain Frank Herbert, pour te rendre compte que l'imagination humaine n'a pas de limites.

— Et l'Atlantide?

— Si on en croit ce cher Platon, cette île-continent était plus grande que l'Afrique du Nord et l'Asie Mineure réunies, c'est-à-dire que sa dimension aurait dépassé celle du monde connu à l'époque où vivait le philosophe. Les

Atlantes possédaient une technologie avancée qui faisait d'eux une puissance redoutable.

— Où était-elle située? demande le garçon, fasciné.

— Dans l'Atlantique, au-delà des colonnes d'Hercule, qui marquent l'entrée du détroit de Gibraltar. Les Atlantes étaient des êtres ambitieux qui aspiraient à dominer le monde.

— Comme les Américains?

— Ou les Romains, ou les Mongols, ou les Perses. Tu sais, au summum de leur puissance, les peuples ont toujours cherché à étendre celle-ci sur leurs voisins. C'est pourquoi je crois que Platon s'est servi de l'Atlantide comme d'une parabole pour expliquer ses propos philosophiques.

— On n'a retrouvé aucune trace de cette île-continent?

— Jamais. La légende veut qu'elle ait

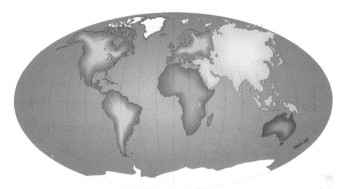

disparu à la suite d'un gigantesque cata-
clysme.

— D'où viennent les noms d'Atlantide
et d'Atlantique?

— C'est Atlas, le géant de la mythologie grecque, condamné par Zeus à porter
sur son dos la voûte du ciel, qui a donné
son nom à l'océan que tu connais et au
continent inventé par Platon.

À ce jour, on recense plus de 20 000
volumes ayant pour sujet l'Atlantide.
Le continent perdu a aussi inspiré les
romanciers. Ainsi, le Français Pierre
Benoit et le Catalan Jacinto
Verdaguer ont, tous deux,
publié une Atlantide.

# Est-ce que les animaux sont somnambules ?

Faliya, la petite-fille de Abd el-Kader, bondit sur les genoux de Tibérius.

— Sais-tu si les animaux peuvent être somnambules ? demande-t-elle en riant.

— Allons poser la question à Cyrus, suggère Tibérius en prenant la petite par la main.

Cyrus, couché dans un hamac à côté de son ami, parle de la densité du bleu du ciel.

— Si les animaux sont somnambules ? Difficile à dire. Probablement que oui. Mais on n'en sait que bien peu de choses. De toute manière, ils rêvent, à quelques exceptions près.

— Si mon chien se lève en pleine nuit et qu'il fait le tour des grands salons, moi, je crois qu'il est somnambule, dit Faliya.

— Sache que les chiens ne dorment jamais de longues périodes à la fois. Ils sont toujours aux aguets. Ils dorment, mais peuvent changer de position toutes les vingt minutes. Ils s'éveillent, marchent un peu, font le tour de la maison, boivent un peu d'eau et se recouchent. Que ce soit la nuit ou le jour, ils ne dorment pas comme nous, des heures d'affilée. Et c'est le cas de bien des animaux.

— Si mon chien, alors, se met à gémir et à bouger dans tous les sens, est-ce qu'il est somnambule? insiste la petite.

— C'est qu'il rêve. On a fait des recherches sur les rêves des animaux et on sait très bien que les chats et les chiens rêvent comme nous.

— Moi, est-ce que je parle dans mon sommeil, grand-père? demande Faliya à l'imam endormi.

— Pardon? fait-il.

— Est-ce que je parle en dormant? répète-t-elle.

— Oh que oui! Tu racontes, tu racontes! Et on ne comprend pas un mot de ce que tu dis, ma fille!

— Babab le chien fait la même chose! Il souffle, il gémit, on dirait même qu'il rit parfois, il soupire, il remue les pattes, il se tortille sur son tapis.

— On dit que le somnambulisme est l'état d'automatisme inconscient qui provoque des actes coordonnés pendant le sommeil.

— Vous pouvez expliquer? dit la petite-fille de l'imam.

— C'est-à-dire qu'un somnambule fait sans s'en rendre compte des gestes qu'il ferait de la même façon s'il était éveillé.

— Babab fait ces mêmes choses lorsqu'il est éveillé et que je joue avec lui. On peut donc dire qu'il est un peu somnambule?

— On peut le dire, acquiesce Cyrus avec un bon sourire. Peut-être Babab rêve-t-il qu'il joue avec toi?

— Et les singes capucins, est-ce qu'ils font la même chose? demande Tibérius.

— Je ne sais pas, dit Faliya. Ils dorment dans une immense cage, presque aussi grande qu'une maison, qui est très loin de ma chambre.

— Je peux te dire, précise le grand-père somnolent, qu'ils sont très actifs la nuit. Ils courent, ils sautent, ils murmurent, mais sont-ils somnambules? Je ne saurais l'affirmer.

— Une chose est sûre, grand-père, c'est que d'ici quelques minutes, tu auras, toi, l'air d'un parfait somnambule si tu ne sors pas de ton hamac!

Chez les mammifères, le chat remporte la palme du sommeil avec 14 h par jour, dont plus du quart est du sommeil paradoxal (sommeil durant lequel on rêve). Vient ensuite le cobaye, qui dort 12 h par jour, dont seulement 5% est du sommeil paradoxal.

# Pourquoi les arbres attirent-ils la foudre, alors qu'ils ne sont pas en métal ?

— Regardez cet arbre calciné, au milieu du champ, oncle Cyrus.

— C'est un figuier, vraisemblablement frappé par la foudre.

— Pourquoi les arbres attirent-ils la foudre ? Ils ne sont pas en métal !

— Cela n'a rien à voir, dit Cyrus. L'arbre est composé d'eau et de minéraux qui sont d'excellents conducteurs.

— Vous parlez comme s'il s'agissait d'un courant électrique !

— Mais c'est le cas ! Dès le XVIIᵉ et le XVIIIᵉ siècle, les savants ont commencé à faire le rapport entre les décharges électriques et les éclairs des orages.

— Ah bon ?

— En 1750, Benjamin Franklin, ce physicien, philosophe et homme politique américain, émet la même hypothèse que ses prédécesseurs sur la similarité des courants électriques et des éclairs. Mais, lui, il arrivera à la vérifier.

— En inventant le paratonnerre ? risque Tibérius.

— Oui, mais il a fait d'autres expériences avant d'en arriver là. Prenons les choses par le commencement, si tu veux bien.

Cyrus s'assied à la lisière du champ.

— L'éclair est un courant électrique, commence-t-il. Il part du sol et monte vers les nuages.

— Pourquoi? demande Tibérius.

— Je t'ai déjà expliqué le formidable brassage d'énergie engendré par la rencontre des courants chauds et des courants froids, là-haut, dans les nuages. Les particules de glace, qui restent en suspension dans ces nuages, conservent toutes une charge positive ou négative.

— Je me souviens.

— Les particules positives attirent à elles les particules négatives, que celles-ci se trouvent à l'intérieur du même nuage, dans un autre nuage ou dans le sol.

— Oui.

— Il en résulte alors une formidable décharge électrique.

— L'éclair, dit Tibérius.

— Un éclair est, en fait, un canal d'énergie de cinq centimètres de diamètre qui peut mesurer de soixante mètres à trente kilomètres de longueur.

— Tant que cela?

— Ce courant dé-
chire l'air à la vitesse
de cent quarante-cinq
mille kilomètres à la
seconde.

— Et l'arbre, dans
tout cela?

— Il sert de con-
ducteur au courant qui
passe du sol vers le
ciel. Comme un para-
tonnerre.

— Mais, comme il
est en bois, il ne peut
résister au passage d'un
tel courant.

— Comme un fil
électrique qui fond
lorsque le courant est
trop fort.

— Et comme ce mal-
heureux figuier.

— Sur la Terre, le
courant passe continuel-
lement entre le sol et les
nuages. Sur le globe, la
foudre frappe le sol
trente fois par seconde,
soit deux millions et
demi de fois par jour.

— D'où l'intérêt des paratonnerres !

— Ce sont en effet de merveilleux outils pour canaliser ces courants formidables.

C'est au savant américain Benjamin Franklin que revient l'invention du paratonnerre. Il a installé les premiers paratonnerres sur le toit de deux bâtiments publics de Philadelphie en 1752.

# *Pourquoi dort-on couché et pas debout?*

Cyrus et Tibérius rentrent des écuries.

— Tu as vu ces alezans! s'exclame Cyrus. Quelles bêtes! J'ai rarement eu l'occasion d'admirer d'aussi beaux chevaux.

— Ce qui m'étonne toujours des chevaux, dit Tibérius, c'est de les voir dormir debout! Pourquoi ne dormons-nous pas debout comme eux, oncle Cyrus?

— Si les chevaux dorment debout, c'est qu'ils ont des ligaments qui bloquent leurs genoux. Nous ne sommes pas pourvus du même système.

— Qu'arrive-t-il exactement lorsqu'on dort?

— Avant de dormir, tu ressens les effets de la fatigue. C'est signe que ton corps en a assez et qu'il doit refaire ses forces. Comment te sens-tu lorsque tu es fatigué?

— Je me sens très mou, je n'ai plus envie de parler, je bâille, et mes yeux ont tendance à se fermer.

— Tous tes muscles tendent à se relâcher. C'est la tête qui tombe en premier.

Tu peux très bien dormir assis sur une chaise, le menton sur la poitrine.

— Ce n'est pas le confort total!

— C'est mieux que rien! réplique Cyrus. L'important, c'est que le corps se détende, sinon on ne tiendrait pas le coup. Tu sais, Tibérius, malgré toute l'importance du sommeil dans notre vie, celui-ci reste une partie bien méconnue du domaine scientifique.

— J'écoute, fait Tibérius en réprimant un terrible bâillement.

— Lorsque le corps entre dans l'état de relaxation qui précède le sommeil, il faiblit. Les muscles se relâchent, la respiration ralentit. Le corps s'abandonne...

— ... donc il faut se coucher, sinon on tomberait par terre.

— Voilà. De toute manière, le corps ne cesse qu'une partie de ses activités. Il profite du fait que l'on dort pour se livrer à d'autres tâches. Savais-tu, mon cher neveu, qu'au cours du sommeil lent l'organisme sécrète une généreuse quantité d'hormones de croissance?

— C'est vrai?

— Soixante-quinze pour cent de la production quotidienne de ces hormones se fait la nuit.

— Fabuleux!

— Encore mieux! C'est durant le sommeil lent que s'effectue la division cellulaire, que se reforment donc bien des tissus...

— Le sommeil vaut le coup!

— Le sommeil paradoxal, lui, permet-trait la mémorisation des apprentissages de la journée.

— Il faut donc cesser une partie des activités conscientes pour que le corps puisse se refaire et se développer.

— Tu as parfaitement raison.

— Et il est beaucoup plus agréable de faire tout cela couché confortablement dans un lit que debout, comme un cheval.

— Que veux-tu! Nous n'avons pas évolué de la même manière que les

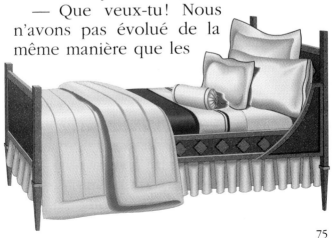

chevaux. Tu sais que certains oiseaux dorment même en vol?

— Ce n'est pas de tout repos!

— Je préfère les hamacs de l'imam! dit Cyrus. Et je m'offrirais même une petite sieste...

Les pharaons d'Égypte dormaient dans des lits, les Grecs de l'Antiquité également. Les Romains utilisaient le lit pour dormir et pour manger.

# Pourquoi y a-t-il des trous dans les briques?

— Où étiez-vous, oncle Cyrus? Je vous ai cherché partout.

— Au téléphone avec mère Marie-Madeleine. Gratton s'ennuie et fait des siennes, mais MM&M semble avoir la situation bien en mains. Mère Marie-Madeleine en a profité pour me demander pourquoi les briques avaient trois trous.

— Elle vous a demandé ça!

— Et pourquoi pas? demande Cyrus.

— Parce que... parce que c'est cher, un interurbain d'ici à chez elle! s'exclame Tibérius.

— Tu sais bien que c'est moi qui paie les communications! Je lui ai demandé de me tenir au courant de tout.

— Mais...

— Mais quoi?

— Mais pas de poser des questions pour se faire expliquer n'importe quoi!

— Je n'ai pas expliqué, non plus! rétorque Cyrus, impatient. Elle a posé la question, et je lui fournirai la réponse lorsque nous serons de retour. Elle saura pourquoi les briques ont trois trous.

— Pourquoi? demande Tibérius, après une courte hésitation.

— Pour deux raisons. La première, pour que la cuisson se fasse uniformément; la deuxième, pour en faciliter le transport.

— Parce qu'avec des trous les briques pèsent moins!

— Vrai. Comme leur poids est moindre, on peut en transporter plus à la fois. Prenons un camion qui pourrait être chargé de mille cinq cents briques pleines.

— Eh bien?

— Il pourra en transporter mille huit cents si elles ont des trous. Mais, à mon avis, cette considération est venue en second lieu, et la raison majeure tient à la cuisson.

— On dirait que vous parlez de pâtisseries, cher tonton. Je ne savais pas que les briques étaient cuites. Je ne dirai plus «les carottes sont cuites», mais «les briques sont cuites»!

— Petit malin! Les briques sont faites d'un mélange d'argile et de schiste, c'est pourquoi on doit les cuire. Comme la poterie.

— J'avoue mon ignorance...

— On mélange l'argile et le schiste avec de l'eau. On ajoute du sodium, du potassium ainsi que du carbone organique et du carbone minéral. Pour donner une couleur rose à la brique, on ajoute du kaolin.

— Les briques ne sont pas toutes roses, remarque Tibérius.

— Tu as raison, on peut aussi ajouter du dioxyde de manganèse pour leur donner une couleur brun-noir, du dioxyde de fer pour une couleur rouge ou encore de l'oxyde de calcium pour obtenir une couleur blanche.

— Ensuite?

— Cette pâte est coulée dans des moules compresseurs. C'est là qu'on leur imprime une forme standard et que les trous sont faits. Ces moules peuvent contenir quarante briques.

— Et puis?

— Avant de les cuire, il faut les faire sécher, lentement et uniformément. Pour cela, on les place dans une atmosphère contrôlée, contenant quatorze pour cent d'humidité, taux qui va graduellement s'abaisser jusqu'à cinq pour cent.

— Elles sont alors prêtes à cuire?

— Pas encore. Les briques ne doivent plus contenir une seule goutte d'humidité lorsqu'elles iront au four.

— Pourquoi?

— Les briques sont cuites à une température de 180 à 1100 degrés Celcius. L'eau contenue dans les briques serait transformée en vapeur et les ferait éclater.

— Ça me donne faim, toutes vos histoires de pâte, de four, de cuisson, dit Tibérius.

— Ta gourmandise te perdra.

Certaines briques sont aujourd'hui fabriquées avec du béton. Contrairement aux autres, les briques en béton ne sont pas cuites. Leur durcissement est le produit d'une réaction chimique.

# Pourquoi les mouches se frottent-elles les pattes?

— On dirait une mouche! dit Faliya. Tu te tournes les pouces, Tibérius?

— Je sens qu'on aura très bientôt des nouvelles de mon père. Et je viens de recevoir un télégramme de ma mère, disant qu'elle quitte bientôt Bornéo pour nous rejoindre ici. Elle n'en peut plus d'attendre, elle non plus.

— Mais pourquoi ta mère vient-elle seulement maintenant?

— Parce qu'on l'avait perdue, tout simplement! Quand mon père s'est fait enlever, maman était prise dans une île, isolée du reste du monde par une tempête monstrueuse.

— Et tu as l'air d'une mouche qui se frotte les pattes..., dit Faliya.

— Pourquoi les mouches se frottent-elles les pattes, au juste? demande Tibérius.

— Quelle question! dit Cyrus, qui vient d'entrer dans le petit salon bleu. Les pattes des mouches sont des outils extraordinairement spécialisés!

— Qui servent à autre chose qu'à

marcher au plafond? demande Faliya.

— Ah, les mouches! dit Cyrus. Mes enfants, les mouches domestiques ont ceci de particulier qu'elles affectionnent tout spécialement l'environnement des humains. Elles aiment nos cuisines, nos repas, nos déchets! Et elles choisissent ce qu'elles mangent!

— Elles aiment ce que nous aimons?

— Elle aiment un peu plus de choses que nous, puisqu'elles apprécient nos restes même s'ils ont eu un peu chaud. Saviez-vous que les mouches ont les pattes recouvertes de soies...

— De soie? Comme de la soie?

— De soies, s-o-i-e-s. Ce sont de minuscules poils sensoriels qui détectent ce qui est bon à manger. Ce sont les soies qui permettent à la mouche de juger de la qualité de sa nourriture.

— Et comment mange-t-elle, la mouche?

— Elle aspire les aliments.

— Elle ne les prend pas avec ses pattes de soie?

— Non, car elle possède une trompe grâce à laquelle elle ingurgite sa nourriture à l'état liquide.

— Je ne comprends pas, dit Tibérius. Si elle mange ce que nous mangeons, elle n'absorbe pas que des liquides.

— Lorsqu'elle veut manger des substances solides, la mouche doit d'abord les liquéfier. Elle aspire les liquides et les semi-liquides, mais lorsque vient le temps d'absorber des solides, elle les enduit de salive pour les ramollir.

— C'est un peu dégoûtant, vous ne trouvez pas? dit Tibérius.

— Chacun sa façon, mon garçon. La mouche régurgite ensuite un liquide contenu dans son jabot. Ce liquide renferme des enzymes.

— Des quoi?

— Des enzymes. Enzyme : substance qui accroît la réaction chimique.

— Ah bon! dit Faliya.

— Ces enzymes prédigèrent les solides, de telle sorte que la mouche peut aspirer ce qu'elle a décidé de manger.

— On peut donc très bien imaginer, sachant tout cela, que la mouche a besoin de se nettoyer souvent les pattes pour avoir des soies propres..., dit Tibérius.

— ... des soies qui détectent bien la

nourriture idéale! enchaîne Faliya.

— Vous avez compris! conclut Cyrus.

— Viens-tu te laver les mains, Tib? J'ai faim, dit Faliya.

*Les mouches domestiques propagent les germes de nombreuses maladies, entre autres la gastro-entérite, la dysenterie et la fièvre typhoïde.*

# Est-ce que la Grande Muraille de Chine a des portes?

— Qu'est-ce que tu lis? demande Cyrus à son neveu.

— Un truc sur la Grande Muraille de Chine. Vous avez vu tous ces livres fabuleux dans la bibliothèque de l'imam?

— C'est un grand érudit!

— Comme vous!

— C'est sans doute pour cela que nous sommes si proches l'un de l'autre.

— Ce qui me fascine, c'est qu'il puisse lire tout cela dans une langue qui n'est pas la sienne, dit Tibérius.

— L'imam parle couramment neuf langues, Tibérius.

— Oh! fait le garçon.

— Je ne voulais pas te déranger. J'allais faire un tour à la casbah et je me demandais si tu désirais m'accompagner.

— Évidemment! Il y a une question à laquelle ce livre ne répond pas.

— Laquelle? s'étonne le savant.

Cyrus et son neveu sortent dans la rue étroite et animée.

— La Grande Muraille avait-elle des portes? demande Tibérius.

— Oui, mais très peu. Tu as dû lire que l'ouvrage défensif que constitue la Grande Muraille s'étend sur six mille cinq cents kilomètres, c'est-à-dire de la mer Jaune au désert de Gobi.

— En effet, admet le garçon. Elle suit le relief. Elle longe les crêtes des montagnes, traverse les vallées.

— Ses remparts sont hérissés de deux mille cinq cents tours. Eh bien, crois-le ou non, cet ouvrage ne comprend que six portes.

— À peu près une tous les onze cents kilomètres!

— Ces portes, si rares, portaient des noms.

— Lesquels, oncle Cyrus?

— La Première porte sous le ciel est sise au-dessus de la porte fortifiée qui donne accès à la route de Mandchourie.

— Et les autres?

— Il y a la porte de Gubeikou, permettant d'atteindre la route de Chengde, la porte de la passe de Gubei, la porte de Yulin, aujourd'hui disparue, la porte de la passe de Juyong et, enfin, la Dernière porte sous le ciel, puissant ouvrage de défense qui se trouve à Jiayuguan.

— J'ai lu, dit Tibérius en s'enfonçant dans une venelle à la suite de son oncle, que la Grande Muraille avait été édifiée pour protéger la Chine des invasions barbares.

— En effet, répond le savant, c'est le premier grand empereur de Chine, Qin Shi Huangdi, qui en entreprend la construction au III$^e$ siècle avant Jésus-Christ. Cette muraille marquera pendant plusieurs centaines d'années la limite septentrionale du pays.

— Elle servait à garder l'empire contre les invasions mongoles?

— Oui, ces hordes de cavaliers, habitués à charger au grand galop, sabre au clair, étaient décontenancés devant ce barrage continu qui arrêtait leur bel élan guerrier.

— Ils n'ont jamais songé à passer par-dessus?

— Ces hordes d'envahisseurs mongols ne connaissaient ni le génie ni l'artillerie. Escalader la muraille? Sans leurs chevaux, une fois de l'autre côté, ils se trouvaient démunis.

— Mais sa construction a coûté cher en vies humaines...

— Trois cent mille hommes auraient travaillé sur ce gigantesque chantier. Beaucoup de cadavres sont scellés dans la muraille. On croyait ainsi chasser les mauvais esprits. La Grande Muraille est constituée par deux murs de sept à huit mètres de haut. L'intervalle, comblé et pavé, servait de route.

— Si on entrait ici prendre le thé? propose Tibérius.

On dit que la Grande Muraille de Chine est la seule construction humaine visible de la Lune ! Pourtant, d'après les spécialistes, il semble bien que cela relève du domaine de la légende.

# Si les chenilles mangent des feuilles, est-ce que les papillons en mangent aussi?

Assis au bord de l'étang où croissent mille plantes aquatiques, Cyrus prend le temps de répondre à la longue lettre de son ami Desfonds, locataire de la petite maison entre deux tours de verre. Des nouvelles de MM&M, de Gratton et d'Alice, des nouvelles de la vie politique au pays, et surtout, en post-scriptum, une question timide. Desfonds demande : «Si les chenilles mangent des feuilles, est-ce que les papillons en mangent aussi...»

*Mon cher Desfonds,*

*Je vous remercie de la longue missive dans laquelle vous me donnez des nouvelles de tout le monde. Je suis bien heureux que votre épouse ait réussi le saint-honoré pour votre anniversaire. J'en profite pour vous souhaiter une heureuse cinquante-deuxième année.*

*À propos des chenilles et des papillons, laissez-moi vous expliquer ceci : la métamorphose que subissent les chenilles lorsqu'elles se transforment en papillons est telle que même les modes de nutrition se modifient.*

*Les papillons ne mangent pas de feuilles. Ils possèdent une trompe, par laquelle ils aspirent le nectar des fleurs. Il s'agit d'un tube assez long et creux. Enroulée en spirale lorsque le papillon ne l'utilise pas, cette trompe peut atteindre quatre fois la longueur du corps du papillon.*

*C'est grâce à son pharynx que le papillon aspire le nectar dans sa trompe. Je vous ferai remarquer qu'il ne boit pas uniquement le nectar des fleurs, mais également le suc de certains fruits, surtout ceux qui sont très ou trop mûrs, ainsi que d'autres liquides sucrés.*

*La chenille ne possède pas ce type d'appareil buccal. Sa bouche est munie de deux grosses dents qu'elle utilise pour broyer et croquer les feuilles. La chenille est herbivore et se nourrit de feuilles, de bourgeons, de pousses d'arbres fruitiers et de racines.*

*Lorsque la chenille se transforme en papillon, disons que*

la métamorphose est magistrale. Non seulement ses ailes se développent-elles, mais tout son appareil buccal se modifie.

Vous rendez-vous compte, mon cher Desfonds, de la fantastique transformation que subit cet animal?

Imaginez-nous, vous et moi, ficelés dans des cocons et nous retrouvant au réveil munis de bouches complètement différentes de celles que nous avions avant de nous enfermer...

Nous ririons, mon cher, mais bizarrement, je crois...

C'est un cycle étonnant, celui de la chenille et du papillon. J'en suis toujours impressionné. Le papillon pond ses œufs, desquels sortent des larves qui deviendront les vraies chenilles. Les chenilles se nourrissent comme je vous l'ai indiqué, s'enroulent un jour dans leur cocon et se transforment en papillons qui, à leur tour, pondront des œufs et...

La nature est forte, la nature est belle, Desfonds. J'ai très hâte de vous revoir. Mon jardin me *manque, même si je passe de magnifiques journées à l'ombre des palmiers de l'imam. Mes amitiés à votre épouse, des bises à vos enfants.*

*Cyrus*

L'éclosion des papillons diurnes se fait généralement le matin, alors que celle des papillons de nuit a lieu l'après-midi ou le soir.

# Pourquoi le rire et le bâillement sont-ils contagieux?

— Est-ce que tu t'ennuies? demande Cyrus à son neveu.

— No-n-oon! répond Tibérius en étouffant un nouveau bâillement. Je regardais l'homme assis à la table, là, derrière vous. Il n'arrête pas de bâiller. Alors, à mon tour, je m'y suis mis.

— C'est vrai que le bâillement, tout comme le rire d'ailleurs, est contagieux.

Le savant ne peut s'empêcher de bâiller largement.

— Décidément, lance Tibérius, notre repas prend une drôle de tournure, vous ne trouvez pas?

Les deux compagnons viennent à l'instant de terminer leurs tagines au mouton.

— Tu as raison, essayons de nous retenir, fait Cyrus en étouffant un bâillement.

— Expliquez-moi pourquoi le rire et le bâillement sont contagieux.

— Je crois que c'est par mimétisme que nous bâillons, ou rions, lorsque nous voyons un de nos congénères agir de la sorte.

— Par imitation?

— Exactement. Tu sais, l'être humain est un animal social.

— Comme le loup?

— Comme le loup, le chien, le singe et le dauphin, l'être humain vit en groupe. Les bébés, puis les jeunes qui appartiennent à ces espèces, apprennent graduellement à adopter le même comportement que les adultes.

— Vous voulez dire que les jeunes apprennent à faire les mêmes gestes?

— À faire les mêmes gestes, mais aussi à adopter les mêmes attitudes ou les mêmes mimiques. Le bâillement et le rire seraient probablement des réflexes d'imitation.

— Quand nous voyons les autres faire, dit Tibérius, nous avons envie de les imiter.

— On parle dans ce cas de cohésion sociale. C'est-à-dire que tous les membres du groupe agissent de manière semblable. As-tu remarqué que, dans certaines émissions de télévision censées être drôles, on pré-enregistre des rires, que l'on fait jouer aux moments cruciaux?

— C'est vrai, répond le garçon en croquant un loukoum.

— Les producteurs ont remarqué que le rire a un effet d'entraînement.

— Pour les émissions ennuyeuses, on pourrait mettre, en médaillon, quelqu'un en train de bâiller dans le coin de l'écran.

— Grand nigaud!

— Vous parliez d'animaux qui vivent en société et qui imitent le comportement de leurs semblables. Pouvez-vous me donner un exemple, tonton?

— Arrête d'abord de manger des loukoums, tu vas être malade, gronde Cyrus en lui retirant l'assiette. Pour répondre à ta question, on a remarqué que les dauphins, qui vivent en bancs, remontent respirer à la surface dès qu'un des leurs le fait, peu importe le rythme respiratoire des autres.

— Hum..., fait Tibérius en réfléchissant. Ne pourriez-vous pas, mon cher

oncle, imiter ma passion pour les loukoums? Ce serait si agréable de la partager
avec vous...

Lorsqu'il n'est pas
le produit du mimétisme,
le bâillement est un réflexe
provoqué par l'ennui ou la fatigue.
Il peut aussi, parfois, être
d'origine digestive : le sujet bâille
parce qu'il a trop mangé ou,
au contraire, parce qu'il a faim.

# D'où vient le cacao ?

— Cyrus! Cyrus, où êtes-vous? Cyrus! hurle Tibérius à travers le dédale des salons de l'imam.

— Du calme, mon neveu, du calme! répond Cyrus. J'étais à la cuisine, humant les merveilleux effluves du repas qui nous attend ce soir.

— Cyrus! Vous... je...

— Qu'est-ce qui se passe? Pourquoi ces larmes?

— Ma mère! Cyclamène!

— Mais parle! ordonne Cyrus.

— Elle a téléphoné! Je vous ai cherché partout! Je n'ai pas pensé aller voir aux cuisines...

— Et alors? dit Cyrus, très inquiet.

— Elle a bel et bien quitté Bornéo! Elle sera ici dans trois jours! Nous attendrons avec elle la suite des événements!

— Qu'est-ce qu'elle a dit?

— Rien, pas de détails. Elle a dit de l'attendre, qu'elle me rapportait des monceaux de chocolats...

— Alors, nous l'attendrons. Quelle nouvelle! Heureux, jeune homme?

— Très heureux.

— Méfie-toi des chocolats! Tu te connais, tu les mangeras trop vite... Sais-tu d'où vient le chocolat?

— Du cacao? risque Tibérius.

— Et sais-tu d'où vient le cacao?

— Pas vraiment...

— Du cacaoyer. À l'époque pré-colombienne, les indigènes d'Amérique centrale utilisaient les fèves de cacao pour se nourrir et ils en tiraient aussi une boisson. Ils les ont même utilisées comme monnaie d'échange.

— Ils mangeaient du chocolat et buvaient du lait au chocolat?

— Pas du tout! La fève du cacaoyer était réduite en bouillie, qu'on mêlait à de la farine de maïs et qu'on assaisonnait de piment.

— Quelle horreur! dit Tibérius.

— Lorsque Christophe Colomb revint en Espagne, en 1502, il rapportait des fèves de cacao. Cortés fit de même en 1519. On en faisait une boisson qui n'intéressait personne, mais lorsqu'on songea à y ajouter du sucre, cela fit fureur à la cour d'Espagne. La fabrication de cette boisson fut gardée secrète jusqu'à ce que les Italiens s'approprient la recette, en 1606. Les Français leur emboîtèrent le pas en 1615, quand Louis XIII épousa Anne d'Autriche.

— Les Autrichiens avaient volé la recette?

— Non. Anne d'Autriche était la fille du roi d'Espagne et elle épousait Louis XIII, roi de France.

— Épousez-moi, princesse, avec plaisir, Majesté, et blablabla..., dit Tibérius en riant.

— En 1657, le commerce du chocolat solide se développa en Angleterre grâce à un marchand français. Mais ce n'est qu'au début des années 1800 que le traitement de la pâte de cacao va devenir industriel. Van Houten, Cadbury, Menier, Suchard...

— Les grands noms du chocolat! remarque Tibérius.

— Le chocolat au lait, celui que tu préfères, a été créé en 1875 par le docteur Peter et par Henri Nestlé.

— Oncle Cyrus, vous avez le don de me calmer! Voyez-vous, pendant que vous me parliez de chocolat, j'ai moins pensé à l'arrivée de ma mère...

— C'était le but de l'exercice, sinon tes nerfs seraient encore tendus comme des cordes de violon! À propos, tu sais ce qu'on mange ce soir?

— Non, dit Tibérius.

— Tu n'as rien senti, rien humé, rien deviné?

— Non...

— Le couscous royal de la cuisinière de l'imam. Tu ne sais pas ce qui t'attend! Une merveille. Tu vas voir... Les cous-coussiers sont déjà sur le feu...

Pourquoi le chocolat fond-il dans notre bouche? Parce qu'il contient du beurre de cacao, qui se liquéfie à une température inférieure à celle de notre corps. Il envahit ainsi la bouche et communique généreusement son goût aux papilles.

# Pourquoi les oiseaux ne peuvent-ils pas reculer quand ils volent?

— J'ai reçu une lettre de Prosper Branchu, notre dévoué postier, annonce Cyrus en rejoignant son neveu, assis près d'une superbe fontaine en mosaïque.

— Que vous veut-il?

— Simplement nous donner des nouvelles d'Alice. Cette petite chérie grossit à vue d'œil.

— C'est tout?

— Il m'a aussi posé une question, à laquelle il me demande de répondre à mon retour: «Pourquoi les oiseaux ne peuvent-ils reculer lorsqu'ils volent?»

— Mais c'est faux! s'exclame Tibérius. Les colibris peuvent reculer.

— Mais la petite Omphale, qui lui a posé la question, ne le sait pas encore, elle.

— Pourquoi seuls les oiseaux-mouches volent-ils à reculons?

— Tu sais que la nature ne laisse rien au hasard. Les espèces qui ont survécu jusqu'à nos jours l'ont fait parce qu'elles se sont adaptées. Si les oiseaux ne volent pas à reculons, c'est que cela leur est inutile.

— Mais les oiseaux-mouches?

— De quoi se nourrissent-ils? lui demande le savant.

— Euh... Du nectar des fleurs, comme les abeilles.

— Et pour aller chercher le nectar, le colibri doit souvent s'avancer dans la corolle des fleurs. S'il ne pouvait voler que vers l'avant...

— ... il resterait prisonnier de la fleur!

— Les autres oiseaux sont insectivores ou carnivores, poursuit Cyrus.

— Ils se nourrissent d'insectes, comme les hirondelles.

— Ou de rongeurs, comme les rapaces. De poissons et de déchets, commes les oiseaux de mer.

— Les hirondelles attrapent les insectes au vol, les goélands plongent, les hiboux fondent sur leurs proies. Il ne leur sert à rien de voler à reculons.

— Par contre, les colibris ont dû

adapter
leur vol à leur manière
de se nourrir.
Pour capter
le nectar des
fleurs, ces oiseaux ne disposent pas souvent de perchoirs. Ils doivent s'alimenter en volant. Ils doivent se maintenir en vol stationnaire, puis voler à reculons pour retirer leur long bec de la fleur.

— Combien y a-t-il d'espèces de colibris dans le monde?

— Environ trois cents, qui, toutes, vivent dans le Nouveau Monde.

— Ils sont tous aussi petits?

— Les colibris, qu'on appelle aussi oiseaux-mouches, sont en général assez petits, en effet. Le plus petit de tous, le *Mellisuga minima*, n'est pas plus gros qu'un bourdon.

— Un gros insecte!

— L'espèce la plus grande, appelée *Patagona gigas*, vit dans les Andes et

mesure vingt centimètres, dont la moitié
pour la queue.

— J'aimerais bien voir un jour tous ces
oiseaux!

Chez la plupart des colibris,
la taille varie entre celle
d'un rouge-gorge
et celle d'un serin.

# Est-ce que les avions peuvent voler à reculons?

L'imam admire la courbe élégante que trace un avion, très haut dans le ciel.

— Bientôt, ce sera l'avion de ma mère! s'écrie Tibérius.

— Sois patient, mon garçon, lui dit doucement l'imam. Il faut savoir désirer les choses.

Cyrus croque une corne de gazelle, un de ces petits gâteaux qu'on ne peut s'arrêter de manger.

— Quand j'étais petit, raconte-t-il, je me demandais comment les avions pouvaient suivre un chemin invisible et, surtout, s'ils pouvaient reculer en volant, au cas où ils se seraient trompés de chemin.

Abd el-Kader éclate de rire.

— Vous n'avez pas toujours été le savant que nous apprécions! remarque-t-il.

— Si je connais tant de choses, mon cher imam, c'est que j'ai passé ma vie à me poser des questions et à chercher des réponses.

— Et il n'a pas fini! déclare solennellement Tibérius. Au fait, pourquoi est-ce que les avions ne peuvent pas reculer?

On parlait bien ce matin des oiseaux qui reculent!

— Tibérius! Réfléchis un peu! s'exclame Cyrus. Si tu roules en voiture à cent kilomètres à l'heure et que tu décides de reculer, comment procèdes-tu?

— Euh... Je ralentis, je freine et ensuite je recule, murmure le jeune homme.

— Eh bien, voilà! Il faut que tu stabilises ton véhicule avant de pouvoir repartir à reculons. Les colibris possèdent la faculté de se mettre en vol stationnaire en battant très rapidement des ailes. L'avion n'a pas ce pouvoir!

— Des ailes mobiles pour 747, dit Tibérius en riant. Mais au sol, l'avion peut reculer, comme une voiture?

— Pas du tout! Ou, du moins, ce n'est pas souhaitable.

— Comment fait-il, alors, quand il roule au sol? Je suis sûr d'avoir déjà roulé dans un avion

qui reculait!

— Lorsque l'avion est au sol, c'est un tracteur qui le remorque. Il le tire ou le pousse pour le mettre en direction de la piste qu'il doit utiliser pour le décollage. Certains avions peuvent inverser leurs réacteurs, mais c'est une chose que l'on fait très rarement, dans des circonstances tout à fait particulières. Ce n'est pas très bon, d'ailleurs.

— Ainsi, ni les avions à réacteur ni les avions à hélices ne peuvent reculer?

— Dans le cas des avions à hélices, c'est un peu différent. Ils ne peuvent pas reculer au sol, mais si, à l'atterrissage, le sol est dangereusement glissant, il leur est possible d'inverser la marche des hélices, plutôt que d'utiliser les freins.

— J'ai pourtant entendu parler, dit l'imam, d'un avion à décollage vertical...

— Il existe, confirme Cyrus, des types d'avions militaires à décollage vertical qui peuvent véritablement reculer en vol. Mais ils ne sont absolument pas conçus comme les avions que nous connaissons.

— Encore un peu de thé, cher Cyrus? demande l'imam.

— Avec plaisir. Je parle trop, comme toujours...

Dans la mythologie grecque, Icare et son père Dédale furent les premiers à voler, fuyant tous les deux la Crète. Leurs ailes étant collées avec de la cire, Dédale vola très prudemment. Mais Icare, rivalisant avec les aigles, s'approcha trop du Soleil et s'abîma dans la mer Égée.

# Pourquoi les femmes ont-elles la voix plus haute que les hommes ?

Tibérius regarde son oncle, fâché, quitter la cour intérieure et pénétrer dans la maison. Au loin, une voix féminine s'élève, mélodieuse. Cyrus revient bientôt, vêtu d'un nouveau pantalon.

— Essaie de ne plus laisser traîner ces fichus loukoums, bougonne le savant. Et puis, si tu continues de te gaver de confiseries, tu vas devenir rond comme un ballon.

— J'écoutais notre voisine chanter. Je me demande bien pourquoi les femmes ont la voix plus haute que les hommes. Pourriez-vous m'expliquer ce phénomène ?

— Il est d'abord physiologique, répond le savant. Enfants, les garçons et les filles ont le même registre de voix. À la puberté, la voix des garçons mue.

— Pourquoi ?

— C'est une question hormonale. À l'adolescence, le larynx des garçons change.

— Pourriez-vous me rappeler ce qu'est

le larynx, tonton?

— C'est un organe creux, situé à l'extrémité supérieure de la trachée, qui est le principal organe de la voix. Ce serait particulièrement la forme du larynx qui expliquerait la différence de timbre entre les hommes et les femmes.

— C'est-à-dire?

— C'est-à-dire que chez les enfants, garçons et filles, une portion du larynx est ronde. À la puberté, elle devient elliptique chez les garçons.

— Et pas chez les filles?

— Non. Chez la jeune fille, le larynx ne se transforme pas. N'oublie pas, non plus, que c'est la position des cordes vocales, situées dans le larynx, qui produit le son aigu ou le son grave.

— Ah bon.

— Les hommes opèrent aussi des choix lorsqu'ils positionnent leur voix.

— Pardon?

— Écoute.

Le savant module sa voix, la faisant passer du grave à l'aigu. La voisine s'arrête aussitôt de chanter.

— Je crois que vous l'avez effrayée, oncle Cyrus.

— Tu vois, explique le savant sans relever l'ironie, je peux choisir d'émettre

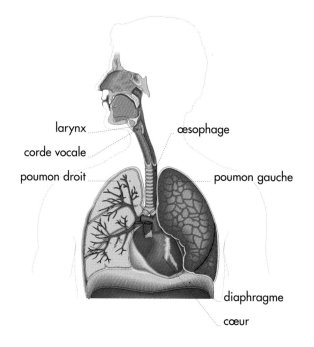

larynx

corde vocale

poumon droit

œsophage

poumon gauche

diaphragme

cœur

des sons graves ou des sons aigus. La
manière dont les hommes placent leur
voix est aussi une question de mode.

— En fait, ce que vous m'expliquez,
tonton, c'est que nous, les hommes,
avons le choix, contrairement à notre voisine cantatrice.

— Exactement.

— Vous semblez soudain distrait, cher
oncle Cyrus.

— Oh! je pensais à notre cantatrice.

— Et alors?

— Comme notre cour est entourée de
murs, nous ne la voyons pas.

— Mais nous pouvons l'imaginer...

— Elle a une voix magnifique, commente Cyrus. Je me demande si elle est chauve...

L'expression italienne *a capella* désigne une œuvre vocale sans accompagnement d'instruments.

# Qu'est-ce qu'un astéroïde?

Ce soir-là, dans les jardins de l'imam, c'est la fête. Cyclamène sera là bientôt, les nouvelles de mister Pagton sont excellentes. On négocie à l'heure même les conditions de sa libération.

L'imam Abd el-Kader a ouvert ses jardins. Un petit orchestre joue près des hibiscus. Les fontaines chantent, les torches de résine embaument l'air du soir. Des agneaux farcis finissent de griller. On fait circuler des galettes d'aubergines et des tomates aux herbes. Cyrus a promis un feu d'artifice à dix heures.

— Regardez! crie tout à coup Ali, le frère de Faliya, en montrant le ciel.

Une, deux, trois, puis six étoiles filantes traversent la nuit.

— Je n'en ai jamais vu d'aussi grosses, dit Ali, extasié.

— Tu as fait un vœu? s'enquiert Faliya.

— Oui! Oh! encore une! s'écrie Ali.

— Je me demande à quelle vitesse elles passent, les étoiles filantes, dit Faliya à son frère.

— Cyrus, vous savez à quelle vitesse volent les étoiles filantes? demande Ali au savant.

— Les micrométéorites, qu'on appelle aussi étoiles filantes, entrent dans notre atmosphère à une vitesse qui varie de quinze à soixante-dix kilomètres à la seconde.

— À la seconde!

— Lorsque ces poussières interplanétaires entrent dans l'atmosphère terrestre, elles ralentissent considérablement et parfois même se désintègrent. Cependant, des masses plus importantes, probablement des fragments d'astéroïdes...

— Qu'est-ce que c'est, un astéroïde? s'informe Ali.

— C'est une petite planète, dont le diamètre ne dépasse pas mille kilomètres.

— La Terre, elle, mesure combien? demande Faliya.

— Le diamètre de la Terre atteint presque treize mille kilomètres. Tu vois la différence! Donc, ces fragments d'astéroïdes, beaucoup plus gros que les micrométéorites, peuvent se retrouver au sol, ici, sur la Terre. À l'atterrissage, ils creusent des cratères de dimensions plus ou moins importantes. Les géologues ont identifié plus de cent vingt points d'impact à la surface du globe.

— De quelle nature sont ces cailloux gigantesques?

— Ils sont en général de nature métallique ou pierreuse.

— J'ai entendu dire, intervient Tibérius, qui n'a rien manqué de la conversation, que les météorites seraient responsables de la disparition des dinosaures! Est-ce possible?

— Cela fait partie des théories sur la disparition de ces grands animaux, répond Cyrus en prenant une galette d'aubergine. Il est possible que, il y a soixante-cinq millions d'années, un impact important de météorites sur notre planète ait entraîné des changements majeurs, notamment la disparition des dinosaures.

— C'est tellement beau, quand il en tombe plein comme ce soir! dit Ali.

— On dirait que grand-père les a commandées pour la fête..., ajoute Faliya.

— J'aurai l'air de quoi avec mes feux

d'artifice? demande Cyrus aux trois enfants.

— On veut les voir aussi! s'exclame Ali. Des spectacles dans la nuit, ce n'est jamais assez gros pour moi. Nous aurons les deux, monsieur Cyrus, les étoiles filantes et vos feux d'artifice!

Les aquarides et les orionides, étoiles filantes que l'on voit à la mi-octobre, sont des poussières éjectées il y a plusieurs centaines d'années du noyau de la comète de Halley.

# Pourquoi tue-t-on les koalas?

— Il y a une chose que je ne m'explique pas, confie Zohra à Cyrus. Pourquoi les hommes tuent-ils des milliers de koalas, qui sont pourtant si mignons et inoffensifs?

— Rassure-toi, Zohra, on ne les chasse plus comme on le faisait au début du siècle.

La petite fille s'assied sur la chaise posée devant le bureau du savant.

— On ne tue plus des milliers de koalas. Avant que le gouvernement australien fasse adopter, vers 1920, une loi interdisant de les tuer, on chassait les koalas pour leur épaisse fourrure gris cendré.

— Et cette loi, elle a donné quelque chose?

— Cette interdiction a donné d'excellents résultats. Le koala n'est plus une espèce en voie de disparition. C'est même, à l'heure actuelle, un des rares marsupiaux dont la popu-
lation

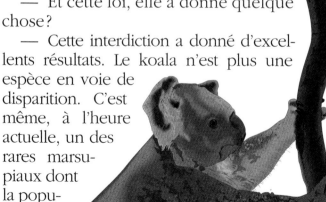

soit en croissance.

— Des marsupiaux?

— C'est une catégorie d'animaux à laquelle appartiennent aussi les kangourous. Presque tous les marsupiaux vivent sur le continent australien.

— Je vois, dit Zohra. Les koalas transportent donc leurs petits dans une poche, sur leur ventre?

— C'est, en effet, ce qui caractérise les marsupiaux. La femelle koala ne donne naissance qu'à un petit tous les deux ans, environ.

— Ce n'est pas beaucoup!

— C'est pour cela qu'on a dû les protéger afin d'empêcher leur disparition.

— Pourquoi les koalas ne vivent-ils pas partout dans le monde? J'aimerais bien qu'on en trouve, ici, dans les arbres.

— Vois-tu, répond Cyrus, les koalas sont très pointilleux lorsqu'il s'agit de leur alimentation.

— Que voulez-vous dire?

— Je veux dire qu'ils sont difficiles. Ils ne se nourrissent que de certaines espèces de feuilles d'eucalyptus. On a récemment découvert qu'ils acceptaient aussi les feuilles de certains autres arbres.

— Qu'on ne trouve qu'en Australie, je suppose?

— Justement. Et les koalas ne se satisfont que de feuilles fraîches. C'est pourquoi il existe peu de koalas en dehors de l'Australie. Rares sont les zoos étrangers qui en possèdent. Des chercheurs ont bien tenté de mettre au point des biscuits à base d'eucalyptus, mais les koalas les ont refusés.

— Ce n'est pas juste.

— Le koala se nourrit la nuit. C'est un animal placide, qui vit seul ou en petit groupe. Il ne se met jamais en colère.

— Jamais? s'étonne la petite. Même quand on l'embête?

— Quand on le provoque, il se contente de grogner et de prendre un aspect menaçant. Il ne pense même pas à griffer ni à mordre.

— Ça devait être trop facile de les tuer!

— Le cri du koala écorche les oreilles, cependant. Il rappelle un peu le bruit d'une scie coupant une planche mince.

La petite se lève, remercie et quitte la pièce sur la pointe des pieds.

Adulte, le koala ressemble à un ours et pèse environ 9 kg. À la naissance, l'embryon, minuscule et pesant moins d'un gramme, devra gagner la poche marsupiale. Durant quatre mois, il continuera d'y grossir, jusqu'à peser 450 g. À cinq mois, il est légèrement velu et commence à sortir de la poche maternelle.

# Quelle partie du corps se décompose le plus rapidement quand on meurt?

— Je voudrais te parler, mon Tibérius! dit doucement Cyrus.

— Qu'est-ce qui se passe? demande le grand garçon avec des yeux affolés. Mon père ne sera pas libéré? Ma mère ne nous rejoindra pas?

— Viens t'asseoir. Viens, mon grand. Rassure-toi, tout va bien.

Lorsqu'ils sont confortablement installés dans le salon vert, Cyrus explique les modifications de dernière minute.

— Ton père est libéré, mon Tibérius. C'est fait, grâce à l'imam. Mais nous ne le verrons pas ici. Dès que ta mère arrivera, des gens de l'ambassade la conduiront à l'endroit où se trouve ton père et ils rentreront à la maison, chez toi, tous les deux ensemble dans un avion affrété à cet effet. Nous n'avons pas à nous en mêler, cela fait partie des secrets d'État.

— Et nous?

— Nous repartons demain! Nous arriverons presque en même temps qu'eux.

— Oh! si vous saviez comme j'ai eu

peur, pendant toutes ces semaines, de ne plus jamais revoir Cyclamène et Max! La nuit, je rêvais que je ne revoyais plus jamais leurs yeux... Imaginez s'ils étaient morts!

— Mais non, mais non, mon Tibérius. Personne n'est mort, et tout va pour le mieux.

— Dites-moi, Cyrus, quand on meurt, qu'est-ce qui se décompose le plus rapidement?

— Tu as de ces questions! Pas les yeux, en tout cas. La cornée de l'œil résiste assez longtemps pour qu'on puisse la prélever sur un individu qui vient de mourir et la greffer sur un œil vivant qui en a besoin.

— On greffe aussi des reins, des foies, des cœurs...

— Oui. Mais il faut toujours faire vite! La première décomposition évidente, c'est celle du tube digestif. L'intestin et l'estomac, notamment, se détériorent rapidement. L'intestin fabrique des liquides basiques et l'estomac des liquides acides. Ces liquides ont une action très puissante, qui favorise la digestion. Lorsqu'on meurt, ils agissent encore et entraînent une décomposition rapide.

— Et le cerveau, dans tout ça?

— À vrai dire, ce qui meurt en tout premier lieu, ce sont les cellules du cerveau. Privées d'oxygène pendant plus de dix secondes, les cellules du cerveau commencent à mourir.

— Elles pourrissent? demande Tibérius.

— Non, on ne peut pas parler de pourriture. Elles meurent, sans pourrir.

— En combien de temps le corps pourrit-il?

— Cela dépend de bien des facteurs. D'abord, des causes de la mort. Mais aussi de la température ambiante. Un cadavre sur la banquise se conserve mieux qu'un cadavre en plein soleil.

— C'est pour cela que les corps des personnes mortes sont gardés dans des tiroirs frigorifiés à la morgue?

— Exactement. Sinon les autopsies seraient difficiles à effectuer. On fait la même chose chez les thanatologues, ou les embaumeurs, si tu préfères.

— Quelle conversation bizarre nous avons! s'exclame Tibérius en riant. Vous rendez-vous compte! Nous serons réunis à la maison demain, et nous discutons de cadavres pourrissants!

— Tu as raison! Allez, hop! Aux valises, Tibérius Pagton! Et garde ce sourire à partir d'aujourd'hui!

Les Égyptiens conservaient
leurs morts en les embaumant,
utilisant des substances
qui empêchaient la putréfaction.
Sinon il semble que, depuis toujours
et dans toutes les civilisations,
on brûlait les corps des défunts.

# Pourquoi l'escargot laisse-t-il une traînée brillante derrière lui?

— Vous repartez aujourd'hui? demande Soraya à Cyrus.

— Oui. Mes affaires m'attendent!

— Avant que vous nous quittiez, j'aurais une question à vous poser. Pourquoi les escargots laissent-ils une traînée luisante derrière eux?

— C'est le tapis sur lequel ils glissent pour avancer.

— Quoi? Un tapis?

— C'est une image. L'escargot se déplace en rampant sur son pied.

— La partie qui dépasse de la coquille?

— Oui. Les escargots sont des mollusques gastéropodes, c'est-à-dire qu'ils marchent sur leur ventre. Certains escargots vivent sur la terre ferme, d'autres en eau douce et d'autres encore dans la mer.

— Je ne savais pas, avoue Soraya. Je croyais qu'ils vivaient tous dans les jardins.

— Sur la terre, les escargots avancent grâce aux mouvements ondulatoires de leur pied.

— Est-ce qu'ils peuvent reculer?

— Non, répond Cyrus. Un escargot qui se respecte doit toujours aller de l'avant! Pour faciliter leur marche, les escargots sécrètent une substance, un mucus produit par les glandes de leur pied. C'est pourquoi je te parlais, plus tôt, d'un «tapis».

— Un tapis baveux. Je ne trouve pas ça très attirant.

— Sans ce mucus, l'escargot qui rampe sur le sol se blesserait.

— Sa bave lui sert en quelque sorte de semelle, conclut la petite.

— Oui. Mais elle sert aussi à le protéger de la sécheresse. Les escargots affectionnent l'humidité.

— Je sais, après la pluie, on les voit apparaître par dizaines dans le jardin. Mon père les déteste. Il dit que les escargots lui bouffent toutes ses laitues!

— Et il n'a pas tort. Les escargots terrestres constituent souvent une menace pour l'agriculture.

— Moi, je les trouve beaux!

— Ça n'a rien à voir. La coquille que transporte l'escargot le protège également des intempéries. Lorsqu'il s'enferme à l'intérieur, il jouit d'une sorte de microclimat. S'il fait trop froid ou trop sec, le voilà qui se met à l'abri en réintégrant sa coquille.

— J'ai remarqué que les escargots fermaient leur coquille à l'aide d'une sorte de petite porte.

— C'est vrai. Chez certaines espèces d'escargots, dites operculées, le pied est garni d'un petit disque corné destiné à cet usage. Chez d'autres espèces, c'est le mucus, la bave, qui, en séchant, durcit et constitue une porte hermétique.

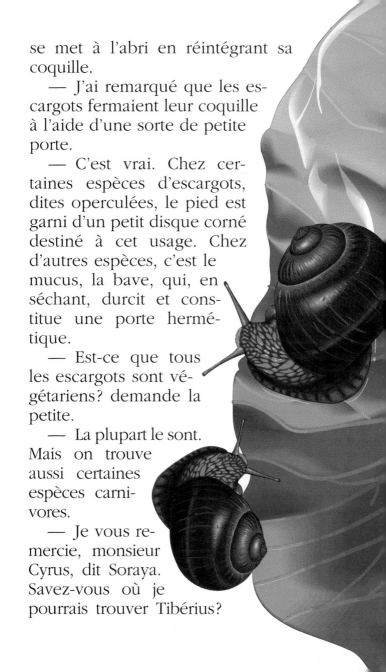

— Est-ce que tous les escargots sont végétariens? demande la petite.

— La plupart le sont. Mais on trouve aussi certaines espèces carnivores.

— Je vous remercie, monsieur Cyrus, dit Soraya. Savez-vous où je pourrais trouver Tibérius?

Je voudrais lui faire mes adieux...

— Va voir chez le marchand de loukoums..., suggère le savant.

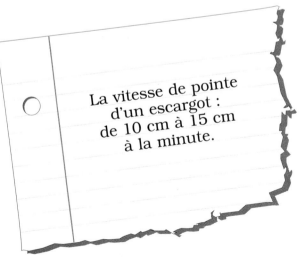

La vitesse de pointe
d'un escargot :
de 10 cm à 15 cm
à la minute.

Je suis très heureuse
d'avoir une aussi belle famille.
Cyrus, Tibérius et Gratte-Bedaine
me font la vie heureuse.
Vous me suivez dans le prochain tome ?

# Table des matières

# Index

# Remerciements

Nous tenons à remercier tous ceux qui, de près ou de loin à la SRC, ont préparé le terrain pour que naisse un jour *Cyrus, l'encyclopédie qui raconte.*

Créée par monsieur Jean-Pierre Paiement pour les enfants de 6 à 12 ans, l'émission *275-Allô* est diffusée à la radio AM de Radio-Canada depuis 1989. Parmi près de cinq mille questions posées par des enfants à l'émission sur une multitude de sujets, nous avons choisi les plus intéressantes et les plus universelles.

Nous voulons ici honorer la mémoire de monsieur Michel Chalvin, qui a réalisé l'émission depuis ses débuts jusqu'au moment où il est décédé en 1994.

Nos remerciements vont tout particulièrement aux animateurs de l'émission, Anne Poliquin et Michel Mongeau, aux précieuses recherchistes Joceline Sanschagrin et Élaine Doyon, ainsi qu'au réalisateur de l'émission, Louis-Yves Dubois, qui savent, tous les cinq, vulgariser une matière souvent fort complexe et la rendre accessible aux enfants.

L'enthousiasme de madame Hélène Messier, chef du service des droits d'auteur à la SRC, ainsi que de messieurs Pierre Tougas et Jean-François

Doré, directeurs de la radio AM de Radio-Canada, nous a permis de mener à bien cette vaste aventure encyclopédique.

Nous tenons également à remercier les éditions Larousse, qui nous ont aimablement fourni les outils nécessaires à la vérification de la matière.

Nous voulons enfin souligner la précieuse collaboration de Martine Podesto, qui a vérifié le contenu de ces ouvrages, ainsi que de Diane Martin et Michèle Marineau, qui en ont assuré la correction.

*Cyrus, l'encyclopédie qui raconte* est illustrée par l'équipe de Québec/Amérique International, à qui nous tenons à exprimer toute notre admiration.

Notre plus grand merci va, bien sûr, à tous les enfants curieux qui posent de si justes questions...